CATHERINE DUMONTEIL-KREMER

Poser des limites à son enfant

et le respecter

Du même auteur

Élever son enfant… autrement, Sète, La Plage, 2003

Collection Pratiques Jouvence

Allaiter, c'est bon pour la santé,
Claude-Suzanne Didierjean-Jouveau, 2003
Bien communiquer avec son enfant,
Christel Petitcollin, 2003
L'allaitement maternel,
Claude-Suzanne Didierjean-Jouveau, 2003
Scénario de vie gagnant, Christel Petitcollin, 2003
L'enfant végétarien, Dr Franck Senninger, 2003
La Communication NonViolente au quotidien,
Marshall B. Rosenberg, 2003
Donner du sens à sa vie,
Rosette Poletti & Barbara Dobbs, 2002
Pour une parentalité sans violence,
Claude-Suzanne Didierjean-Jouveau, 2002
Relaxation et détente des enfants, Philippe Barraqué, 2001
Éduquer l'homo « zappiens »,
René Blind & Michael Pool, 2000
L'enfant timide, Marie-France Muller, 1997

Catalogue Jouvence gratuit sur simple demande.

ÉDITIONS JOUVENCE

Suisse : CP 184, CH-1233 Genève-Bernex
France : BP 7, F-74161 Saint-Julien-en-Genevois CEDEX
Site internet : **www.editions-jouvence.com**
E-mail : info@editions-jouvence.com

Maquette & mise en pages : Éditions Jouvence
Dessin de couverture : Jean Augagneur

ISBN 978-2-88353-388-2

Sommaire

Introduction 5
Poser les limites ou apprendre le monde 9
Les différentes catégories de limites
et de règles 13
Les règles souples et négociables 13
Les conventions et traditions familiales,
nos valeurs 14
Les lois écrites 15
Poser des limites adaptées à la croissance
de nos enfants 17
Apprendre vos ressources à un tout-petit
qui se déplace 19
Les actions inacceptables pour vous 23
Les conventions, traditions et règles
de votre famille au stade bambin 33
L'enfance 41
Améliorer votre capacité d'écoute 42
Les petits accidents de la vie quotidienne 47
Vous ne parvenez pas à vous faire
entendre 49

La résolution de conflits 50
Les actes répétitifs du quotidien 54
Formuler des demandes d'aide 57
Faites une réunion de travail 59
Quelques astuces pour demander de l'aide hors contrat 62
Je veux tout, tout, tout! 65
Accueillir les émotions 67
Vous êtes créatif, alors mariez toutes ces astuces entre elles 73
Vous êtes dans une impasse 75
Proposez un jeu de chahut 77
Faites un échange de rôles spontané 78
Donnez-lui de l'attention concentrée 78
Organisez une sortie « défoulement » 79
Et s'il dessinait ce qu'il ressent? 79
Mettez de la musique et dansez tous ensemble 79
Vous vous sentez devenir dangereux pour vos enfants 81
Ce qui peut aider 82
Soyez attentif aux mécanismes déclencheurs de votre colère 82
Enfants tyrans ou adultes indignés? 85
Faire face aux critiques 87
Se forger une autre vision du monde 89
Abandonner le mythe de l'obéissance 93

Bibliographie 95

Introduction

AMOUREUSE de mon premier bébé, j'étais vraiment très loin de me douter que, quelques mois après sa naissance, il allait générer autant d'émotions, de questions, et qu'il allait à lui tout seul réveiller des souffrances enfouies depuis si longtemps. J'aimais tant cette petite fille et pourtant j'aurais voulu, certains jours de grande fatigue, la laisser dans un coin, arrêter de répondre à ses demandes réitérées. J'étais épuisée par ses pleurs dont je ne comprenais pas souvent l'origine. Pourtant, certains livres que j'avais lus affirmaient que l'on pouvait reconnaître les pleurs de faim, de douleur, de lassitude! Moi, je n'avais pas cette capacité. J'éprouvais juste de l'inquiétude et de l'impatience!

Pourtant, je n'aurais laissé ma place de jeune mère pour rien au monde. Pour mon entourage, j'étais inefficace. Ma fille grandissait, elle commençait à s'opposer à des règles de vie que je parvenais très difficilement, et au prix d'une lutte sans merci, à faire respecter.

Pour parents et amis, j'étais laxiste, je me posais à la fois trop et pas assez de questions, je n'étais jamais cette mère qui accompagne son enfant avec son cœur, qui est simplement elle-même, et qui sait faire face aux commentaires que tout un chacun voudrait donner pour « aider » un jeune parent.

Je faisais des choix sans avoir le recul nécessaire, j'expérimentais, et j'étais bien des fois bousculée dans mes convictions qui manquaient d'enracinements.

Bien sûr, j'étais d'accord pour considérer ma fille comme un être humain digne de respect, et je tentais de me mettre à sa place pour la comprendre. Ma formation universitaire et mon expérience professionnelle auprès des enfants m'avaient permis de comprendre et d'accepter pleinement le côté néfaste de la violence éducative, mais ce que j'ignorais avant d'avoir un enfant, c'est que cette violence dormait en moi et qu'elle attendait tranquillement que j'aie à faire face à ma fonction parentale pour resurgir comme un monstre indomptable !

Ma fille a ouvert les portes et j'avais à lutter contre moi-même, plusieurs fois par jour pour ne pas faire ce que tout mon corps me poussait à accomplir compulsivement ! Il m'est arrivé de la « frapper », ou autrement dit de lui donner des fessées, alors que j'étais convaincue de leur nocivité. Mais la plupart du temps, je cherchais désespérément des solutions pour qu'elle comprenne enfin que certaines actions n'étaient pas les bienvenues. Ma voix devenait sèche, je la culpabilisais. Curieusement, je ne la punissais pas, mais je pense que je n'ai jamais été punie moi-même et n'ai aucun mérite à cela.

Dans ma quête d'information et de soutien, la recherche de moi-même, de mon histoire, j'ai pris de plus en plus conscience que la question des limites est centrale dans le parentage.

J'ai trouvé bien des éléments de réponses dans les ouvrages d'Alice Miller[1]. Plus que tout, je me suis sentie comprise en tant qu'enfant par son propos. La vie de nos petits peut véritablement devenir un enfer, sans que nous en ayons conscience. Ne plus taper, c'est une étape qui je crois nous met face à notre colère, à ce besoin de sortir cette violence que nous avons en nous depuis l'enfance. Nous combattons contre le monstre qui se transmet de génération en génération, et il n'y a pas pire lutte et profond désespoir que celui généré par l'ambiguïté parentale. Plus que tout, nous voulons le meilleur pour nos enfants : j'ai acquis avec le temps la conviction qu'aucun parent ne souhaite faire mal à sa descendance.

Nos enfants nous aiment inconditionnellement et ne sont nullement responsables de nos détresses passées ; ils nous offrent une chance inestimable : celle de pouvoir les repérer et les travailler à notre façon.

Après les coups, ce sont les punitions qui sont passées à la trappe, et leurs corollaires directs : les récompenses. Même si le terme est fort, il me semble qu'il ne s'agit là que de manipulations. C'est toujours avec les meilleures intentions du monde

---

1. Écrivain et psychothérapeute, auteur de nombreux ouvrages évoquant les conséquences des traumatismes de l'enfance.

que nous punissons un comportement dans l'espoir qu'il disparaisse, et que nous en récompensons un autre afin de favoriser son développement. Ce sont des moyens que nous connaissons bien, ils ont été à la base de notre éducation. Ils entraînent pourtant des conduites d'évitement pour ce qui est des perspectives de punitions. Une peur constante habite l'enfant qui cherche désespérément « le bon » comportement pour ne pas contrarier ses parents. Il recherche aussi la récompense, les félicitations, il devient prisonnier du regard de l'autre, de son jugement.

La peur va entraîner avec elle le mensonge, l'absence de relation de confiance avec ses parents. Masquer les réalités indésirables va préoccuper les enfants, puis les adolescents qui ont été punis, à moins qu'ils ne baissent les bras et ne se soumettent définitivement à toutes les formes d'autorité, sans pouvoir les remettre en question.

De nombreux ouvrages traitent de l'impact des coups et des punitions. Vous en trouverez une liste non exhaustive à la fin de cet ouvrage.

Une fois que l'on a conscience de cet impact profond et durable, nous pouvons nous sentir tout simplement démunis. Comment agir sans coups, ni punitions ? Comment accompagner nos enfants sans les intimider, les contraindre verbalement, sans les culpabiliser ? C'est le seul objet de ce livre, et j'espère que vous y trouverez les ressources que vous cherchez.

Poser les limites ou apprendre le monde

QUAND nous avons fait ce travail de remise en question de notre éducation, et que nous voulons avec détermination respecter nos enfants, nous avons parfois un peu de mal à entendre les termes « limites » et « cadres ».

Qui voudrait vivre une vie limitée à l'intérieur d'un cadre rigide ? Notre perception de ces concepts peut évoluer. Un cadre peut être souple et disparaître à certains moments. Les limites sont négociables ou non ; tout dépend de nombreux facteurs complexes. Nous connaissons très bien le système du oui et du non. Pourtant, entre oui et non, il y a mille nuances possibles, qui sont à mettre en relation avec l'immense intelligence de l'être humain. Pourquoi le cantonner dans un système binaire, alors qu'il est capable d'appréhender la subtilité, la variété avec beaucoup de créativité. Il peut tout apprendre lorsqu'il vit dans un milieu confiant et optimiste à son égard.

Poser les limites, c'est aussi apprendre le monde et les sentiments des personnes qui nous entourent, c'est faire en sorte que nos petits bénéficient d'une information complète à propos de l'environnement, ou des ressources des adultes qui les accompagnent. C'est aussi laisser les enfants exprimer leur positionnement, savoir dire non avec conviction. Et se sentir respectés dans leur refus va les amener à se protéger en tenant compte de leurs perceptions et de leur expérience.

◆ *Un navire qui sait où il va*

Il vous est peut-être arrivé de naviguer dans votre vie : quand on est sur le même bateau, on a une destination, une manière de vivre que l'on partage. On ne laisse pas la barre aux enfants dès qu'ils savent marcher, mais on peut leur apprendre à utiliser un compas. Ils vont aussi participer aux nombreuses tâches à effectuer chaque jour sur l'embarcation familiale.

Quand le vent est fort, les enfants ne se promènent pas sur le pont, même s'ils désirent en faire l'expérience. Mais, peu à peu, ils vont acquérir des compétences qui leur permettront de défier la mer. La manière de naviguer de la famille va évoluer au fil du temps et du travail personnel de chacun de ses membres, mais en général les parents protègent les petits qu'ils ont mis au monde et les accompagnent vers une indépendance pleine d'amour et de sécurité.

Avant de commencer à évoquer les règles du jeu, je pose un préalable : VOUS êtes un adulte qui accompagne des enfants et, à ce titre, VOUS prendrez des décisions pour votre famille et pour vous-même. C'est bien vous qui tenez la barre. Vous faites énormément pour vivre en famille ; vous vous préoccupez des ressources matérielles, mais aussi affectives et le soutien que vous apportez chaque jour à vos petits est inestimable. Il y a des moments de votre vie où vous aurez le sentiment de prendre des décisions arbitraires pour vous préserver. Il est toujours possible de l'expliquer et de le vivre sans culpabilité. Pensez à vous ressourcer est aussi de votre responsabilité. Vous donnez beaucoup et vous aurez besoin de recevoir beaucoup. Mais, si le fait de tenir la barre vous appartient, les enfants ne sont pas là pour vous restituer le soutien que vous leur avez apporté. Ils seront sûrement, en revanche, des parents aimants et créatifs grâce à vous.

Les différentes catégories de limites et de règles

Au fil du temps, j'ai classé les limites en trois catégories. Cela n'a que peu d'importance et vous pourrez trouver une autre forme de classement plus inventive et stimulante, mais en attendant voilà ce que je vous propose.

Les règles souples et négociables

Ce sont des règles à géométrie variable. Elles dépendent de plusieurs paramètres : votre humeur, celle de votre conjoint, de vos enfants. Elles sont fonction de l'environnement, de votre emploi du temps, et sont adaptables à vos ressources du moment.

Voici un exemple. Lundi soir, je rentre d'une journée de travail épuisante et ma fille aînée a décidé d'écouter un disque qu'elle adore à un niveau sonore que je vais trouver insupportable à ce moment-là. Mon seuil de tolérance est atteint, j'ai besoin de tranquillité. Ma semaine s'annonce chargée, je me sentirai vite dépassée. Résultat : étant donné que nous vivons dans un petit espace, quand je suis fatiguée, je demanderai à mon enfant de faire moins de bruit.

La même scène peut se dérouler un vendredi soir, veille de week-end : j'ai la vie devant moi, du temps pour me reposer et pour jouer. Non seulement je suis capable d'accepter le niveau sonore, mais il peut aussi arriver que je danse avec elle !

Si Claire, 6 ans, veut aller faire du vélo cet après-midi dans notre quartier, je n'y vois aucun inconvénient : il n'y a pas beaucoup de circulation, nous vivons dans une impasse. Si elle a le même désir chez ses grands-parents, qui habitent une grande ville, il nous faudra trouver une autre solution ou bien refuser sa demande.

La négociation est donc toujours possible avec ce type de règles. Ma fille aînée peut trouver une solution à son problème en décidant d'aller chez une amie écouter ses disques. Claire pourra demander que nous la conduisions dans un parc. Dans cette catégorie de limites tout est possible. Les enfants apprendront à vous connaître mieux, à devenir créatifs en ce qui concerne la recherche de solutions.

Les conventions et traditions familiales, nos valeurs

Il n'y a rien d'obligatoire en ce qui concerne les règles familiales. Nombreux sont les parents qui en sont surpris. Le fait de se laver les mains avant le repas, par exemple, n'est qu'une option que vous avez peut-être choisie. Il n'en est pas moins vrai que vous aurez un fort besoin de faire respecter ce que j'appelle vos « traditions familiales ». Empreintes de nos conditionnements sociaux, les conventions que nous avons connues enfants sont parfois transmises volontairement à notre descendance.

Certaines familles prennent leurs repas à table, d'autres s'autorisent beaucoup plus de liberté dans ce domaine et trouvent d'autres moments pour partager la convivialité. Quoi qu'il en soit, nous pouvons voir notre code social comme une clé que nos enfants doivent posséder.

◆ *Nos valeurs*

De plus, nous avons des valeurs auxquelles nous tenons et ces dernières sont quelquefois reliées à des traditions ou rituels. Chaque famille unique par essence aura sa manière particulière de vivre ses valeurs, traditions et conventions.

Les lois écrites

Il s'agit de l'ensemble des règles écrites. Les lois, mais aussi les règlements intérieurs que l'on peut trouver dans toutes les structures collectives. En cas de litige, le règlement écrit est une base fondamentale, même s'il est toujours possible de le faire évoluer en portant un regard critique sur son fonctionnement et en mettant en place une stratégie collective.

Tout comme nos lois sont discutées, les règlements intérieurs le sont régulièrement. Et nous aurons pratiquement toujours la possibilité d'enrichir la réflexion d'une collectivité dans laquelle nous sommes engagés.

Poser des limites adaptées à la croissance de ses enfants

◆ *Les bébés de la naissance à l'âge du premier déplacement*

Les jeunes parents sont souvent déroutés par la demande importante d'un nouveau-né. Nous sommes encore beaucoup trop nombreux à ignorer le besoin fondamental qu'un bébé a de sa mère et de son père. La tentation est grande de « limiter » cette forte demande.

J'entends encore pas mal de commentaires près des berceaux des tout-petits. Leur demande impérieuse est interprétée comme étant manipulatrice. Comment ferons-nous si notre enfant ne sait pas devenir indépendant ? Allons-nous devenir son esclave ? La plupart du temps nous serons très partagés sur cette question des besoins du bébé. Nos propres besoins de nourrissons n'ayant pas été comblés complètement, les bébés ayant peu de moyens de faire connaître leur volonté et peu de réactions observables par des adultes qui ne sont pas sensibles à leurs signaux, il a été très fréquemment conclu qu'ils ont peu de besoins et que le fait de ne pas les combler n'a pas beaucoup de conséquences. Or, c'est exactement l'inverse qui se produit : plus un enfant est petit, plus grandes sont les conséquences des absences de réponse à ses demandes, plus il continuera à les ressentir à l'âge adulte.

Je voudrais vous rassurer. Lorsque les besoins du bébé sont comblés dans la sécurité et l'amour, celui-ci enracine son indépendance sans aucune crainte d'être abandonné. Il sera autonome avec plaisir et force quand le moment sera venu. S'il vous demande, s'il veut vos bras plus que tout, ce n'est pas là de la manipulation, mais l'expression d'un besoin vital (de jour comme de nuit). En y répondant vous agissez sur son estime de lui-même, estime qui se construit tout doucement dans la chaleur de vos bras, toujours prêts à l'accueillir.

Il existe différentes façons de vivre ce parentage du tout-petit. On peut l'allaiter à la demande, le porter le plus souvent possible, dormir avec lui, on peut le masser, lui chanter une comptine, le bercer, on peut aussi gérer ses biberons et organiser ce bain de contacts permanents, dont il se détachera de lui-même. Car, un jour, à votre grand étonnement, il se déplacera, et la question des limites sera à nouveau mise sur le tapis.

◆ *Les bambins : leur nature profonde*

Nos enfants sont très naturellement aimants, coopératifs, joyeux et pleins de ressources. Ils ont une vitalité étonnante et c'est sans doute un premier défi que de constater à quel point nous en manquons ! Ils semblent se recharger en énergie en un temps record. Quel parent n'a pas été surpris, en revenant d'une grande balade avec son bambin, espérant passer une longue soirée tranquille, de voir ce dernier recharger ses batteries pendant un trajet en voiture d'une demi-heure ! Le voilà à nouveau prêt à se lancer dans des explorations et des expériences fascinantes !

Votre enfant apprend le monde qui l'entoure par lui-même, avec une volonté de fer. Il expérimente encore et encore. Il essaie, il observe, il engrange ses conclusions pour les comparer à celles d'autres expériences. C'est un petit chercheur qui veut découvrir et maîtriser son environnement.

Les parents de ce petit explorateur vivent entre l'épuisement et la joie de voir une certaine forme d'autonomie pointer le bout de son nez. Mais ne vous y trompez pas, votre petit est encore un bébé sur pattes. Vous aurez quelquefois le sentiment qu'il est « scotché » à vous toute la journée. Le fait de marcher ne fait pas pour autant de lui un « grand », même s'il a quelquefois besoin d'être considéré comme tel.

Apprendre vos ressources à un tout-petit qui se déplace

Qu'il le fasse sur ses deux jambes ou à quatre pattes, assis en tailleur ou tout à fait autrement, il est heureux de cette nouvelle acquisition et en profitera pour déménager votre espace vital peu à peu avec des moyens énergétiques bien supérieurs à la moyenne.

Comme par hasard, il partage les mêmes centres d'intérêt que vous. Si vous adorez écouter de la musique, il fera de multiples expériences avec votre chaîne stéréo ou vos disques. Chez nous, l'ordinateur était l'objet de toutes les attentions : l'interrupteur manipulé à plusieurs reprises sans aucun ménagement avait pour effet de me faire perdre mon sang-froid !

Cet âge, c'est celui de la découverte. C'est merveilleux tout autant que catastrophique, si l'on ne prend pas quelques mesures pour sauvegarder notre environnement en le rendant ouvert, sécuritaire et attractif.

Voilà une liste non exhaustive d'astuces qui visent à empêcher un comportement qui est inacceptable pour vous, à permettre à l'enfant de s'imprégner à son rythme de vos choix familiaux. J'ai trouvé très efficace d'alterner les « solutions », car les enfants se lassent très vite de la meilleure des « méthodes ». Vous vous en rendrez compte vous-même et adapterez en fonction de ce fait vos propositions.

◆ ***Aménager son lieu de vie***

Pas de recettes pour cette suggestion qui relève du bon sens pratique. Passer toute une journée derrière un bambin actif, le surveiller et devoir lui dire non toutes les demi-secondes, c'est un choix compliqué qui n'est pas sans retentissements sur la joie de vivre d'un petit de cet âge.

Je ne m'attarderai pas sur l'importance du travail des mains, mais ce stade exploratoire et expérimental est une base structurante pour les enfants.

Vous évaluerez vous-même la dangerosité que présente votre maison pour un petit, c'est un premier pas. Puis, vous mettrez hors de portée ce à quoi vous tenez beaucoup. Avec le nombre d'enfants, la liste de ces objets diminue! Pour certains, il s'agit de livres qui seront rangés en hauteur. Les unités centrales d'ordinateur seront munies de protection par d'autres (j'avais collé un tapis de souris sur la mienne). De même pour les magnétoscopes (vous vous exposez à y trouver divers débris déposés là par votre petit chercheur), vous trouverez des sécurités adaptées dans le commerce.

◆ *Créer un espace sécuritaire*

Vous allez devenir inventif en la matière, j'en suis sûre. Au sein de certaines familles, on a jugé bon de faire d'une chambre un lieu de jeu sécuritaire, la munissant parfois d'une barrière afin d'éviter les sorties intempestives. La création d'un tel espace peut s'avérer très utile lorsque vous avez besoin d'un moment de tranquillité ou quand vous êtes préoccupé par une tâche urgente qui nécessite toute votre attention.

Dans ce cas, vous limitez l'espace pour aboutir à la réalisation de votre objectif. Cependant, votre enfant vous le rappellera probablement au bout d'un certain temps variable entre 5 et 20 minutes (d'après mes expériences personnelles!), il a besoin de vous.

Cet espace n'est pas un bon reflet de la réalité et c'est de cette dernière dont il a le plus besoin.

◆ *Proposer des activités stimulantes*

Laissez-le souvent vivre à vos côtés, un placard plein d'ustensiles de cuisine variés fera son bonheur pendant de longs moments. Il aime toucher, manipuler les objets de votre vie quotidienne. Une cuillère en bois, des boîtes en plastique, des casseroles, des couverts, ce sont des jouets économiques et rien ne peut remplacer l'expérience qu'en fera votre bambin.

L'eau est un élément captivant pour lui. Installez une bassine proche de vous, quelques objets à vider et à remplir. Vous trouverez d'autres objets que votre petit aime manipuler.

Quand un enfant est concentré sur une activité et qu'il se sent en sécurité auprès de ses parents, il y a de fortes chances pour qu'il s'y consacre complètement. Il parviendra peu à peu à vous aider à la cuisine et à l'entretien de la maison. Laver les légumes, nettoyer une table, balayer un coin de pièce l'intéresseront tout autant, plus tard.

Si vous êtes à l'écoute, vous découvrirez ce qu'il préfère et aménagerez son temps en conséquence.

◆ *Ses besoins de base sont-ils comblés ?*

Un bambin dont les besoins ne sont pas comblés peut très vite se retrouver dans un état émotionnel intense, et devenir destructeur pour son environnement. Ceci est parfaitement normal. Il vit une souffrance, une situation stressante.

Avant de mettre en pratique les suggestions présentées ici vous pourrez vous poser quelques questions : a-t-il faim ou soif ? besoin d'être changé ? besoin d'attention, de câlins, de jeux avec vous ? Vous serez peut-être surpris de constater que l'attention est un besoin de base, tout comme les contacts physiques. Si vous passez beaucoup de temps au téléphone ou avec des amis, votre enfant peut tout simplement agir de façon à attirer votre attention. J'insiste sur le fait que ce n'est pas volontaire de sa part. Il souffre et ce qu'il fait n'est qu'une manifestation de son trouble, mais il n'en est pas conscient et n'agit pas dans le but de vous causer des soucis.

Si votre enfant passe toutes ces journées en collectivité ou chez une assistante maternelle, il vit forcément des événements auxquels vous n'avez pas accès. Mais, le soir, il faudra peut-être écouter les frustrations de sa journée. Il vous attend parfois pour pleurer dans vos bras en toute sécurité. Rappelez-vous que les événements intensément excitants (Noël, les anniversaires, les fêtes...) sont source de stress pour vos petits. Même s'ils sont très heureux de les vivre, ils auront des émotions fortes à évacuer, que nous ne sommes pas toujours prêts à accepter dans ces moments-là, où nous donnons beaucoup pour les satisfaire.

Les actions inacceptables pour vous

Oui, mais voilà, malgré votre aménagement de l'espace, les petites activités auxquelles votre enfant se livre passionnément, il essaie quand même de découvrir ce qu'il ne peut logiquement pas toucher. C'est décidé. Vous ne voulez pas qu'il s'attaque à vos disques, pas plus à vos revues ou à tout autre chose, et c'est votre droit ! Alors que faire, si votre petit outrepasse vos injonctions ?

Il faut savoir qu'un bambin ne tiendra le plus souvent pas compte des mots que vous prononcerez. C'est pourtant par là que la pose des limites peut commencer. La plupart des parents que je connais sont pleins de bonnes intentions. Ils essaient de tout expliquer et sont sidérés par le fait que leurs efforts ne donnent aucun résultat. Rassurez-vous, les mots s'ils sont inefficaces n'en restent pas moins importants, car ils imprègnent le cerveau de votre enfant. Votre attitude conciliatrice fera partie de son être et de sa façon de régler ses problèmes plus tard.

◆ *« Il n'écoute jamais rien » : écoutez-le*

Voilà 80 % de votre boulot relationnel, savoir ce que votre enfant souhaite et comment il se sent. Même s'il ne parle pas, il pourra vous dire avec des gestes, des vocalises, ce qu'il voudrait toucher et ce qu'il souhaite faire. À moins qu'il ne se soit déjà emparé de l'objet du délit !

Il se sentira reconnu si vous lui montrez que vous avez compris qu'il voudrait, par exemple, nettoyer le sol après vous à grands coups de lave-pont détrempé. Une phrase peut alors suffire : « Tu aimerais nettoyer le sol ? » Il est possible que cette reconnaissance lui suffise et que vous parveniez à diriger ailleurs son enthousiasme pour l'entretien de la maison.

Lorsqu'un enfant sent son désir compris, reconnu, une détente peut se produire en lui. Et ceci est valable à n'importe quel âge, l'écoute produisant presque toujours des effets positifs. Nous y reviendrons au cours de cet ouvrage.

Il ne s'agit pas de limiter ses sentiments qui sont tous acceptables, mais plutôt ses actions.

◆ *Donnez-lui une activité similaire*

Quoiqu'il s'apprête à vivre, vous pouvez trouver une autre activité qui l'intéressera autant et qui sera bien plus acceptable pour vous : casser des noix avec un casse-noix en bois qui se visse et se dévisse (pas avant 3 ou 4 ans), taper avec un marteau sur une planche de bois dans le jardin, ouvrir le placard à vaisselle « magique », lui donner de vieux journaux à déchirer… tout ceci peut donner d'excellents résultats !

◆ *Dites ce que vous souhaitez, donnez quelques explications brèves*

C'est un préalable, et une autre possibilité, mais abandonnez tout espoir de voir votre enfant en tenir compte avant quelques années[2]. Les actions des enfants sont guidées par leur moteur interne qui leur dit de découvrir, de toucher, d'explorer. Sauf cas exceptionnel, votre enfant ne va pas s'exécuter

---

2. Aletha Solter, auteur entre autres de *Pleurs et colères des enfants et des bébés* (Genève, Éd. Jouvence, 1999) évoquait lors d'une conférence le fait que les enfants ne répondent pas aux injonctions verbales avant 7 ans. C'est plutôt rassurant, non ?

lorsque vous lui direz : « Quand tu touches à cela, j'ai peur que tu te fasses mal. » Le lui dire reste important, mais s'attendre à ne pas être entendu par un bambin est quand même plus sûr que de persister à vouloir qu'il se mette au garde à vous et perdre tout espoir au fil des jours. De plus, comme ces attentes sont usantes et vous fatiguent beaucoup, vous risquez de voir remonter les anciennes solutions à la surface avec l'épuisement. Entre attentes et réalités, il y a parfois un abîme d'incompréhension !

◆ ***Empêchez-le d'agir avec force, sans violence***

Lorsque la situation, selon vos critères, le demande, vous pourrez prendre votre bambin dans vos bras et l'empêcher de commettre cette action que vous refusez absolument.

Le fait de se sentir impuissant auprès de vous va générer en lui une énorme colère. Préparez-vous à écouter une crise de rage puissante, dévastatrice. Si vous le pouvez, accueillez-la tout en laissant votre petit gesticuler au maximum. Cette manœuvre est très délicate, car elle peut réveiller chez vous des vieilles blessures. Peu de parents ont su accueillir la rage chez leurs enfants. La plupart du temps, elle était proscrite à coup de martinet, d'isolement, de privations, par nos parents.

Vous avez peut-être été secoué physiquement à l'occasion d'une colère étant enfant et ce fantôme peut faire surface au moment où vous tenterez de contenir votre enfant. Une manière d'empêcher cela est d'être vraiment présent à soi-même : penser sans cesse à ce que l'on fait peut aider.

Si vous vous sentez trop fragile pour être proche de votre enfant en colère, essayez de le porter dans une chambre sur un grand matelas et éloignez-vous un peu tout en restant dans la même pièce. Ainsi, il ne se sentira pas rejeté en proie à des émotions difficiles.

Je réserve cette manière de faire à des situations où il faut agir vite : par exemple, si mon enfant s'apprête à en mordre un autre, s'il est en train de manipuler un produit dangereux, s'il s'apprête à traverser une rue très fréquentée sans mon aide, etc.

Une autre idée qui m'aide beaucoup, c'est de considérer que la colère de mon enfant n'est pas dirigée contre moi. Sa colère n'est que l'expression d'une insatisfaction. Lorsqu'elle sera évacuée, mon enfant sera de nouveau aimant, coopératif et enthousiaste.

◆ *Dites « stop »*

Un stop, ce n'est qu'un signal d'arrêt si vous ne lui ajoutez rien de culpabilisant. C'est un outil qui peut s'avérer très efficace pour faire un point, par exemple.

Quand votre petit est en train de mettre tous vos livres au sol d'un geste majestueux, c'est le moment de faire un break : « Stop, mais qu'est-ce que tu fais ? Je ne veux pas que mes livres soient abîmés ! »

◆ ***Assumez avec lui les conséquences de ses actions***

« Viens, on les ramasse tous les deux » est une suite logique. On répare ensemble. En tant que parent, notre rôle est d'adapter la réparation à l'âge de nos enfants. Lorsqu'il a 2 ans, mon bambin ramassera peut-être un seul livre et je devrai accompagner gentiment sa main. Plus il grandira, plus il sera capable d'assumer.

Attention à ne pas transformer cette manière de faire en punition ! Là encore, tout ce que nous pourrons dire pour manifester notre colère et générer de la culpabilité chez nos enfants sera toxique pour eux. De même, l'obligation d'assumer des conséquences trop lourdes par rapport à ses compétences sera vécue comme une brimade. Or, le but de ce livre, c'est bien de savoir poser les limites sans blesser.

◆ ***Annoncez-lui de quoi la journée va être faite***

Depuis qu'il est tout bébé, vous lui parlez pour lui dire de quoi l'instant suivant va être fait. Les enfants sont très sensibles aux changements et aiment être prévenus. Pensez-y !

◆ ***Proposez-lui souvent des alternatives***

Cela va lui permettre d'éprouver peu à peu la sensation agréable de faire des choix pour lui-même. Cela pourra à l'occasion débloquer une situation. Il ne veut pas mettre son pyjama et vous y tenez vraiment. Faites-lui une proposition : « Préfères-tu mettre le pyjama rouge ou le vert ? »

◆ *Faites confiance à ses sensations corporelles*
Il marche et s'apprête à sortir en plein hiver sans manteau. Laissez-le vivre son expérience, mais prenez son manteau avec vous. C'est là une occasion pour lui de se tester. Il demandera son manteau s'il en ressent le besoin.

Les parents croyant bien faire gèrent la vie de leurs enfants en fonction de leurs propres sensations. Cela les conduit souvent à des malentendus. Nous avons tous des perceptions très différentes des événements et nos sensations nous envoient des messages très personnels, qui devraient être respectés dès que cela est possible.

◆ ***Inutile de « limiter » les besoins physiologiques de vos enfants***
S'ils ont faim, ils vont manger, c'est une relation de cause à effet assez naturelle. Même si nous avons un impact sur l'alimentation en choisissant les aliments que mangent nos petits, nous n'aurons aucun impact sur la sensation de satiété, qui leur appartient complètement.

Interférer dans ces mécanismes subtils, c'est exposer les enfants à manger pour se consoler, pour être aimés, parce qu'ils s'ennuient, etc., et à ne pas manger pour d'autres raisons qui n'ont rien à voir avec la satiété.

◆ *Parlez de vos propres sentiments*
En dehors des périodes de conflits, dites-lui souvent comment vous vous sentez. Cela lui permettra de

connaître le vocabulaire des sentiments et l'encouragera à donner des éléments sur son monde intérieur. La connexion avec lui sera alors d'autant plus aisée.

◆ ***Reformulez son langage corporel***

Votre petit, avant de parler, s'exprime avec son corps. Les mimiques de son visage sont très expressives et ses gestes le sont aussi. De temps en temps, faites un peu d'écoute active, essayez de trouver le sentiment qu'il éprouve. C'est une des bases de la compréhension et de l'acceptation. J'ai observé que la majorité des mamans le font très spontanément avec leur bébé : « Tu es content, on dirait ! » ou bien « Mmmh... tu sembles contrarié. » L'écoute va nous servir toute notre vie, c'est le moment de s'entraîner et de renforcer nos acquis.

◆ ***Laissez-le libre d'être ce qu'il est***

Autrement dit, ne l'enfermez pas dans un rôle en lui disant ce qu'il est et ce qu'il n'est pas. Tu es coléreux ou tu es boudeur, tu es l'intello de la famille, etc. Nous sommes quelquefois trop prompts à les évaluer, en fonction de notre propre vécu.

Il a besoin de grandir en dehors de tout a priori sur sa petite personne.

◆ ***N'oubliez pas, il expérimente tout !***

Vos sentiments sont compris dans ce TOUT. Nous sommes encore assez ouverts et prévenus du fait que les petits font des expériences avec les objets : lorsque les bébés laissent tomber 150 fois d'affilée une petite cuillère, nous nous disons qu'il fait des expériences avec la gravitation. Mais lorsque vous êtes l'objet de ses expériences, il en va tout autrement. Vous vous dites peut-être que votre enfant vous manipule, qu'il vous teste, qu'il vous pousse dans vos retranchements. Il n'en est rien, ce sont des tentatives pour mieux vous connaître. Votre enfant fait des expériences avec vos sentiments. Il apprend quelles sont les conséquences de ses actes sur vous. Il va ainsi progresser à l'aide de réponses appropriées dans le domaine de la relation.

Les conventions, traditions et règles de votre famille au stade bambin

MÊME SI LE BAMBIN est très attiré par le monde des humains et qu'il est heureux d'en découvrir les us et coutumes, il sera résistant à l'application de certaines règles rigides.

À cet âge, un enfant a besoin que les éléments de sa vie aient un sens, et les conventions n'en ont que très peu, finalement. Pour notre famille, ce constat a été l'occasion de revoir nos traditions. Nous avons essayé de supprimer le maximum de conventions pour ne garder que les rituels familiaux que nous aimons.

Vous avez passé vos conventions au tamis du sens. Il reste celles dont vous ne sauriez vous passer, le fait de dire merci, bonjour, au revoir, s'il te plaît, par exemple ?

Votre enfant est une éponge. Si vous appliquez vous-même ces rituels sociaux, il s'en imprégnera, il fera ce que vous faites. Inutile de le contraindre, il lui faudra juste un peu de temps pour restituer ce qu'il enregistre en vivant à vos côtés.

◆ *Vos règles*

Elles sont d'ordre multiple. Cela va de se brosser les dents à se laver les mains, prendre un bain une fois par semaine ou tous les jours, se coiffer, prendre ses repas à table, enlever ses chaussures avant de pénétrer dans la maison. Vous avez peut-être une place pour chaque chose que vous aimez voir respecter, tout ceci et son contraire peuvent constituer votre façon unique de vivre. Au risque de vous surprendre, il y a des familles où l'on ne se lave les mains que lorsqu'elles sont sales, où l'on se lave peu, se coiffe de temps en temps, et où l'on ne mange pas forcément à table... Chacun a ses choix en la matière!

Au stade du bambin qui marche et qui commence à parler, l'imitation des parents joue un rôle fondamental. Comme je le disais un peu plus haut, ce que vous faites, votre enfant finira aussi par le faire. Il suffit de lire *L'esprit absorbant de l'enfant* de Maria Montessori, pour se rendre compte à quel point l'ambiance est essentielle et combien elle marque un tout-petit. Faites-lui confiance et tout cela se fera tout seul. Vous éprouverez peut-être le besoin de savoir comment les petits grandissent, ce qui se passe en eux pendant leur croissance. Vos observations vous permettront de tirer des conclusions quant à ce que votre enfant peut ou ne peut pas faire. Votre bambin est, à sa façon, un être tout à fait unique, qui va grandir et apprendre à son rythme.

À partir de sa quatrième année ou quand vous le sentirez prêt, voici quelques astuces pour l'encourager à vous suivre dans vos pratiques :

– Faites ensemble, c'est beaucoup plus motivant.
– Mettez un *timer*, 2 minutes pour le brossage des dents, 5 minutes pour faire un peu de rangement dans une chambre, etc.
– Faites une démonstration de ce que vous attendez à votre bambin, qui ne sait peut-être pas se laver ou se brosser les dents, par exemple. Il peut être dérouté tout simplement parce qu'il ignore comment cela se passe.
– Essayez (je sais que ce n'est pas facile en fin de journée) d'être dynamique et votre bambin vous suivra. Votre ton de voix peut lui adresser un message stimulant ou, au contraire, déprimant.
– S'il s'agit d'une règle de base fondamentale pour vous, ne lâchez pas le morceau, accompagnez votre enfant, brossez-lui vous-même les dents, toujours avec bienveillance.
– Si vous avez choisi de rappeler à votre enfant d'effectuer une tâche quotidienne, assurez-vous qu'il vous a entendu et compris.
– Soyez ouvert aux périodes de régression que votre enfant va traverser. Pour des raisons qui lui appartiennent, il ne sait soudain plus s'habiller tout seul, ni se brosser les dents. Il a besoin d'être de nouveau accompagné comme un tout-petit. Faites-lui

confiance. Il est en train de reprendre des forces, de fortifier sa sécurité.

En visite avec un bambin ou comment garder ses ami(e)s

Mes relations sociales se sont effritées lorsque mes enfants se sont mis à marcher. J'étais accablée à l'idée d'aller chez certaines de mes amies, dont les standards d'hygiène élevés m'auraient contrainte à une surveillance constante. J'étais quelquefois si tendue que les visites n'étaient plus un plaisir, mais une source d'angoisse. Pendant un an environ, j'ai sélectionné les personnes chez lesquelles je pouvais me rendre sans trop d'inquiétude et préférais recevoir les autres chez moi.

Un bambin, dans un lieu inconnu, sera ravi de se lancer dans de nouvelles explorations, après un temps plus ou moins long d'adaptation.
Soyez vigilant et ne le laissez pas dépasser le seuil de tolérance de la personne qui vous accueille. C'est à vous, parents, de poser les limites à votre enfant dans un lieu qui n'est pas le vôtre. C'est à ce prix que vous parviendrez à conserver vos relations sociales. Même s'il est difficile de surveiller un enfant tout en profitant des conversations amicales, vous en récupérerez le bénéfice à long terme. Votre enfant appréhendera ce nouveau lieu

avec ses règles et vous pourrez y revenir avec sérénité.
Les familles les plus accueillantes et les plus compréhensives sont certainement celles qui vivent avec des enfants d'âge préscolaire comme vous. Cela ne signifie pas que les relations seront plus faciles!

Votre enfant traverse une période d'agressivité. Il frappe tous les enfants qu'il rencontre, arrache leurs jouets, les mord même parfois, et vous êtes désespéré! Vous vous sentez peut-être coupable, vous vous demandez ce que vous avez bien pu faire pour que votre petit en arrive là.
La désapprobation se lit dans les regards des parents qui vous entourent, en particulier chez ceux dont l'enfant a été agressé par le vôtre. Chacun s'attend à ce que vous preniez des mesures pour que cela n'arrive plus. Certains attendent de vous une attitude répressive, et vous, vous êtes perdu et ne savez que faire.
Ces périodes sont le plus souvent passagères et vous pourrez y faire face sans être considéré comme un parent laxiste qui ne pose aucune limite.
La première mesure à prendre, c'est une surveillance rapprochée: si votre bambin est dans une période difficile, la prévention sera le meilleur remède. En particulier, s'il mord, les blessures occasionnées sont quelquefois impressionnantes. Il ne s'agit pas de le punir, encore

moins de le mordre, mais de le retenir s'il s'apprête à faire fonctionner ses petites dents, en lui donnant quelque chose à mordre (un bâton de guimauve, un hochet de dentition) et en lui expliquant que ça fait mal et que vous ne le laisserez pas mordre qui que ce soit. Préparez-vous à écouter sa frustration.
Il a déjà mordu ou tapé un autre enfant ? La petite victime appréciera que vous reconnaissiez sa peine sa souffrance. La minimiser dans le but de disculper votre enfant n'aura aucun effet positif sur les parents et encore moins sur l'enfant.
Prenez également du temps pour écouter les parents. Vous vous en rendrez compte, il n'est pas facile de voir son enfant souffrir sous les coups d'un autre. En tant que parent, j'ai eu l'occasion comme beaucoup d'être successivement des deux côtés de la barrière. Mes enfants ont été agressés et ont été agresseurs, ce sont des expériences riches en enseignement !

◆ *Vos valeurs*

Partager vos valeurs, les choix auxquels vous tenez très fort, avec vos enfants encore petits est tout à fait possible.

Quels que soient vos engagements, le soutien que vous apportez à certaines associations par exemple, faites en sorte d'emmener vos enfants aux réunions ou manifestations organisées par vos divers groupes. C'est très difficile certes, mais cela en vaut la peine, sur le plan de la transmission de vos choix.

Quand j'étais animatrice pour une association de soutien à l'allaitement, mes enfants m'accompagnaient toujours aux réunions que j'organisais. C'était une manière pour moi de leur transmettre la forme d'engagement que j'avais choisie : « Les adultes autour de moi s'organisent pour que le monde aille bien, ils se soutiennent » est un constat très rassurant pour notre descendance.

Vous avez peut-être une manière moins visible de vivre vos valeurs. Si vous faites parfois des dons pour certaines causes, parlez-en à vos enfants.

Si vous avez perdu de vue des valeurs qui vous sont chères et que vous souhaitez les transmettre à vos petits, il n'y a rien de tel que de les vivre au quotidien.

Vous voudriez qu'ils soient solidaires ? Que faites-vous pour être solidaire ? Vous voudriez qu'ils se montrent coopératifs, généreux ? Quelle est votre façon de vivre ces dimensions humaines ?... N'oubliez pas, un de vos engagements les plus importants, c'est auprès de vos enfants que vous le vivez. C'est aussi l'action la plus efficace que vous ferez de toute votre existence et votre tout-petit sera à jamais marqué par votre accompagnement, respectueux et aimant.

L'enfance

VOTRE BAMBIN est devenu un enfant qui maîtrise à peu près toutes les compétences des êtres humains : il sait communiquer, entrer en relation ; il a appris les règles de votre famille en vous regardant et en accomplissant de multiples actes en votre compagnie ; il est en route vers plus d'autonomie. Il a toujours grand besoin de votre présence affectueuse. Il souhaite agir par lui-même de plus en plus souvent, même s'il a besoin parfois de votre aide. Cela lui permet d'acquérir des habiletés spécifiques. Il est très fier de savoir faire quelque chose sans aide et, peut-être est-il devenu l'initiateur d'un plus petit que lui. Il a confiance en vous, il sait qu'il peut s'opposer à vos décisions sans que vous ne lui retiriez votre amour ou que vous ne soyez blessant d'une quelconque manière. Vous savez vous positionner sans parasiter votre communication.

Tout roule ! Oui, mais voilà, le travail de parent demande toujours des améliorations. Votre enfant, s'il sait qu'il peut compter sur vous, a appris à demander dans le but naturel de satisfaire ses désirs et ses besoins. Plus il s'ouvre au monde, plus il y vit des événements qui le questionnent, le réjouissent, lui font peur ou le rendent triste.[3]

Améliorer votre capacité d'écoute

Partez du principe que votre enfant a les meilleures intentions du monde à votre égard. Cela n'a l'air de rien mais, en cas de difficultés relationnelles, avoir cette idée en tête vous fera percevoir la situation sous un tout autre jour.

Connectez-vous à votre enfant en nommant le sentiment qu'il éprouve. Si votre petit arrive de l'école en rouspétant contre son instituteur, résistez à la réaction qui vous pousserait à dire : « Tout va s'arranger » ou « Ton enseignant sait ce qu'il fait », ou bien encore : « Tu râles sans arrêt ». Contentez-vous d'un : « Tu es en rogne, on dirait ! » Ainsi, votre petit se sentira complètement compris. Il pourra aller plus loin dans sa colère, prendre du recul et trouver des solutions par lui-même.

Quelques remarques cependant. Si vous n'êtes pas prêt à écouter votre enfant, remettez à plus tard : il vaut mieux différer que de montrer des signes d'inattention, auxquels les petits (et les

---

3. Il n'y a aucun cloisonnement à faire entre la partie de ce livre consacrée aux bambins et celle qui traite de l'enfance. Vous allez très probablement devoir faire face aux mêmes défis. Le « caprice », par exemple, peut démarrer au stade bambin alors qu'il est ici évoqué au niveau de l'enfance. Une des manières de considérer cet ouvrage est de le voir comme une sorte de catalogue de suggestions visant à vous aider, lorsque vous décidez de ne plus taper ni punir vos enfants.

humains en général, d'ailleurs) sont extrêmement sensibles.

Votre langage corporel peut être en accord avec vos paroles, si vous vous mettez à sa hauteur par exemple, si vous soutenez son regard, si vous êtes complètement disponible pour lui. Tous ces messages non verbaux véhiculent la compréhension et l'intérêt que vous portez à sa situation.

Autre exemple de situation courante : une petite sœur vient de faire son entrée dans la famille, et l'aîné va s'exprimer dans ces termes : « Je n'aime pas cette peste. » Il y a des réponses qui nient les sentiments comme : « Tu dis cela, mais nous savons bien que tu ne le penses pas », « Mais si tu l'aimes ! », « Tu n'as pas le droit de dire une chose pareille ! », « Essaie au moins de jouer un peu avec elle pour apprendre à la connaître ! » D'autres réponses aident l'enfant à identifier ce qu'il ressent comme : « Tu te sens triste, c'est difficile pour toi de vivre avec ta sœur. » L'écoute silencieuse peut également aider, c'est vous qui sentirez si quelques paroles de reconnaissance sont ou non les bienvenues.

◆ *Des souffrances incompréhensibles pour les parents*

Lorsque les enfants passent une grande partie de la journée loin de nous, parents, parce qu'ils sont notamment scolarisés, ils vivent des souffrances dont les causes nous échappent complètement.

Ce que faisaient nos parents quelquefois consistait en un interrogatoire pour comprendre pourquoi nous nous trouvions désemparés, chagrinés. Le fait de « savoir » permettait ensuite de tenter de remédier à la situation. Cela n'était pas forcément satisfaisant, l'issue de l'interrogatoire étant une leçon de morale ou bien un jugement culpabilisant, qui ne nous aidait en rien à nous connecter à nous-mêmes et à notre ressenti. Il y avait le bien et le mal, donc les bonnes et les mauvaises actions, et il s'agissait de se trouver du bon côté de la barrière.

Aujourd'hui, si les causes nous échappent, nous ne sommes pas démunis si nous écoutons nos enfants. Comprendre importe peu finalement car, parfois, nous ne pouvons pas savoir ce qui s'est exactement passé. Ce qui est important, en revanche, c'est l'accueil que nous faisons aux sentiments et émotions de nos petites personnes. Il m'est arrivé d'accueillir au retour de l'école une de mes filles en larmes, de m'asseoir à ses côtés, de poser ma main sur son épaule et, simplement, d'écouter sa tristesse, sans y ajouter un mot. Or, dans ce silence qui semble inactif, il y avait tant de messages non verbaux ! Cela pouvait durer quelques minutes, après quoi elle était prête à jouer de nouveau, avec tout son enthousiasme. Elle ne m'avait rien dit – cela peut arriver – et j'étais complètement prête à ne rien savoir, ce qui m'intéressait, c'était de lui donner un soutien efficace.

◆ ***Notre rôle n'est pas d'arrêter les manifestations de souffrance…***
mais de les reconnaître et, en particulier, lorsque nos enfants dépassent le stade de la dépendance aux

parents, pour ce qui est de la satisfaction de leurs besoins physiologiques.

Voici un exemple courant dans certaines familles : la perte d'un animal familier. Pour l'enfant, c'est un être vivant avec lequel il était en relation. Il est bouleversé. En tant que parents, nous voulons voir nos enfants heureux et souriants 24 heures sur 24, c'est pourquoi nous tentons parfois d'arrêter leurs manifestations de tristesse en nous précipitant pour « remplacer » l'animal perdu. Mais peut-on remplacer un être vivant ? En faisant cela avec la meilleure intention qui soit, nous donnons une image curieuse du monde où tout s'achète, où les êtres vivants sont interchangeables. Or, il y a bien des pertes définitives, même si nous avons du mal à les accepter.

Certains parents pensent que parler de cette perte équivaut à faire du mal à l'enfant. Pourtant, c'est l'un des rares moyens qui lui permettra de se sentir compris. Ainsi, plutôt que de dire : « Arrête de pleurer, je vais t'en acheter un autre », tentez de comprendre le chagrin que votre petit peut ressentir : « C'est dur de perdre un ami ! », « Ça doit être un choc pour toi ? »

Nous pouvons craindre en faisant cela d'aggraver la situation : il est possible que nos enfants se mettent à pleurer abondamment s'ils se sentent acceptés dans leurs émotions pénibles. Mais au bout du chemin, il y a un apaisement profond. Et vous lui ferez un merveilleux cadeau en restant près de lui pour l'accompagner lorsqu'il pleurera.

Notre rôle n'est pas non plus de comparer les souffrances entre elles pour en conclure, en définitive, que notre enfant n'a pas le droit d'être triste. Toutes les souffrances sont à prendre en compte avec beaucoup de sérieux et d'attention. Ne prenez pas sur vous le problème, la souffrance de l'enfant, car, si ce dernier imagine vous rendre malheureux à chaque fois qu'il évoque un sentiment négatif, il se sentira coupable et mal à l'aise à l'idée de vous confier ses problèmes. Au contraire, il prendra des forces si vous êtes capable de l'accompagner en écoutant ses émotions douloureuses et que vous ne vous laissez pas bouleverser par celles-ci.

◆ *Une seconde chance*

Il m'est arrivé quelquefois de me culpabiliser de ne pas avoir la disponibilité suffisante pour écouter mon enfant rentrant chez nous bouleversé. Il me suffit d'être soucieuse, débordée et un peu découragée, ce qui arrive très régulièrement, pour ne plus être prête à donner de l'attention à qui que ce soit. J'ai remarqué que je pouvais toujours me rattraper, reparler plus tard avec mon enfant de ce qui l'avait contrarié. Mieux vaut remettre la question sur le tapis plus tard que jamais !

◆ *Des sentiments contradictoires*

En tant que parents, nous éprouvons quelquefois des sentiments et émotions contradictoires : par exemple, nous avons un amour très fort pour nos enfants et une envie quelquefois aussi forte d'arrêter d'être parents. Nos enfants ne font pas exception à la règle et ils vivent aussi des situations confuses. Votre écoute pourra les aider à recouvrer leur clarté.

◆ ***L'écoute : un préalable pour la pose des limites***

Dans bien des situations de pose des limites, l'écoute peut être une sorte de préalable. Même si je ne suis pas d'accord avec mon enfant, je peux l'écouter et lui montrer, par un message de cette nature, que je l'ai compris avant d'affirmer mon désaccord.

Il existe de nombreux livres traitant de l'écoute active (vous en trouverez une liste à la fin de cet ouvrage). La pratique de l'écoute et de l'affirmation de soi demande beaucoup d'entraînement, mais donne des résultats remarquables sur la qualité des relations humaines en général.

◆ ***L'expression des besoins***

Après l'écoute peut venir l'expression des besoins. « De quoi as-tu besoin ? » est finalement une question très positive, qui va éviter à vos enfants de tourner en rond sans trouver d'issue et leur permettre de trouver des stratégies pour répondre à leurs attentes.

Les petits accidents de la vie quotidienne

◆ ***Décrivez ce que vous voyez***

Lorsque vous constatez le résultat d'une maladresse décrivez plutôt ce que vous voyez. C'est une façon de faire très simple, dont vous constaterez la redoutable efficacité.

Exemple, si l'un de vos enfants renverse de l'eau dans une pièce de la maison, tentez de dire très simplement de manière à vous faire entendre : « Il y a de l'eau sur le sol de la salle de bains. » Vous verrez alors arriver une petite personne toute prête à résoudre le problème. Et dans le fond, ce qui vous intéresse c'est la réparation, n'est-ce pas ? Veillez à faire une description neutre. « La salle de bains est ENCORE inondée », « J'en ai marre, vous ne faites attention à rien, il y a toujours de l'eau par terre dans cette salle de bains ! » n'en sont pas. Ne mettez pas vos émotions, jugements, généralisations et a priori dans vos remarques, car ils blessent quasiment toujours votre enfant et génèrent de la résistance. C'est très difficile, mais il y a des moyens d'y arriver. Accrochez-vous et, surtout, entraînez-vous.

◆ *Qui est coupable ?*

Dans mon enfance, quand nos parents voyaient le résultat d'un accident, ils se demandaient « qui » était le responsable. Ce mode de fonctionnement était lié à la punition. Des excuses étaient exigées. Et, parfois, le « coupable » niait avec véhémence, tant il se sentait bafoué dans sa dignité, étant également motivé par la crainte d'être puni et humilié !

◆ *Obtenir la coopération spontanée de votre enfant*

Quand vous décrivez ce que vous voyez, vous laissez une chance à l'enfant de réparer spontanément. Comment agissez-vous avec vos amis lorsqu'ils cassent votre vaisselle ? En les jugeant et en vociférant ?

Certainement pas, vous tentez au contraire de tout faire pour qu'ils continuent de se sentir à l'aise en votre compagnie. Vous ne mettez pas en doute le fait qu'ils n'aient pas voulu vous nuire. Vos enfants méritent bien un traitement similaire!

La plupart du temps, j'ai trouvé ce truc miraculeux. Il a l'énorme avantage de faire grandir l'estime de lui-même de l'enfant qui se voit comme quelqu'un qui est digne de la confiance de sa famille. (En même temps, les enfants ont parfois mieux à faire que de venir réparer le résultat malencontreux de leurs actions.)

Vous ne parvenez pas à vous faire entendre

Vérifiez ces quelques points:

- Il ne vous a pas entendu. C'est tout à fait possible, car les enfants investissent tant le présent, qu'ils sont le plus souvent tout entiers plongés dans une activité, qu'ils ferment les écoutilles! Dans ce cas, allez voir et assurez-vous qu'il a reçu le message.
- Votre voix est-elle pleine d'énergie et suffisamment audible pour attirer l'attention?
- Les savoir-faire requis ne dépassent-ils pas ses capacités?
- Est-il perturbé par quelque chose? Il arrive que les enfants soient très contrariés et, de ce fait, bourrés d'émotions négatives. Ils auront besoin dans ce cas d'un moment d'écoute de la part d'un adulte bienveillant, pour parvenir à se débarrasser de ce qui les empêche d'agir.

◆ *Parlez de vos sentiments*

Exprimez-les avec vigueur ! Lorsque mon enfant prend un de mes disques et ne le remet pas dans sa pochette, il m'arrive d'être tout simplement furieuse ! « Quand je vois les disques hors de leur pochette, je suis vraiment furieuse » est une manière de dire ma colère sans juger, moraliser ou punir. Mes enfants vont en tenir compte le plus souvent.

Parfois, ils oublieront à nouveau de prendre soin de mes affaires. Dans ce cas, je ne serai plus d'accord pour les prêter pendant un temps. Ce n'est pas une punition, simplement une conséquence de mon découragement et de mon inquiétude lorsque je vois mes disques malmenés, alors que je tiens beaucoup à continuer à les écouter.

◆ *Exprimez clairement vos attentes*

« Je m'attends à ce que mes disques soient remis dans leur pochette » est une mesure préventive que vous pourrez toujours énoncer, quand vous le sentez.

La résolution de conflits

C'est répétitif et cela vous pose un sérieux problème, les besoins de votre enfant et les vôtres s'opposent : alors tentez une résolution de conflit. Cela sera difficile si vous êtes dans un bain d'émotions négatives. La colère, le chagrin devraient être autant que possible évacués avant d'aborder une négociation quelle qu'elle soit. (Relisez ce paragraphe, faites place nette, débarrassez-vous de vos émotions négatives par un moyen énergétique ou thérapeutique.)

◆ *Libérez-vous de vos attentes*

Vous pénétrez le domaine de la négociation. N'essayez pas de la diriger, tentez d'être ouvert et soyez prêt à accueillir les sentiments et les propositions de votre enfant. Vous n'êtes pas là pour moraliser ou conseiller, mais simplement pour essayer de définir vos besoins et aider votre enfant à définir les siens.

◆ *Quels sont vos véritables besoins ?*

En parlant de vos besoins respectifs, vous allez éviter les discussions conflictuelles. D'un autre côté, il vous faudra réfléchir pour les déterminer de la façon la plus authentique qui soit. Les enfants sont en effet très sensibles à nos vrais besoins.

Voici un exemple qui me paraît significatif : c'est dimanche, il fait un temps splendide, il est 14 heures et les parents de Cécile et Pierre décident d'aller faire une sieste amoureuse. Ils ont besoin d'intimité et de partage. À côté de leur chambre se trouve une pièce télé et les enfants voudraient regarder un film vidéo. Leur père n'est pas d'accord : « Par une si belle journée, j'aimerais que vous jouiez dehors plutôt que de regarder la télé. » Les enfants insistent et leur père passe à un autre argument : « Nous allons nous reposer et nous ne voulons pas de bruit à côté de notre chambre. » Les vrais besoins ne sont toujours pas exprimés et les enfants s'engouffrent dans chaque justification comme dans une brèche béante.

Les parents sont mal à l'aise à l'idée d'exprimer leurs besoins d'intimité. Pourtant, c'est seulement lorsqu'ils auront de part et d'autre défini leurs véritables besoins qu'ils pourront ensemble travailler à la recherche d'une solution qui les satisfera tous pleinement.

◆ *Les solutions*

Lorsque les besoins sont exprimés, les solutions peuvent être énoncées. Laissez-vous aller dans ce qui vous semble impossible, farfelu. Plus vous irez loin dans la fantaisie, plus vous aurez de chances de trouver une solution qui tienne la route. Dans ce domaine, votre enfant vous surprendra si vous le laissez exprimer toutes les possibilités qui lui viennent à l'esprit.

Il serait très tentant de juger les solutions proposées, de manipuler votre enfant, d'argumenter afin qu'il adopte une solution à laquelle vous avez réfléchi depuis longtemps, mais cela nuirait au processus de résolution, à l'estime de lui-même que votre enfant développe quand il ressent cette ouverture et cette confiance qui viennent de vous, ses parents.

Prenez note de TOUTES les possibilités évoquées. Éliminez ensuite ce qui est inacceptable pour vous ou pour votre enfant. Choisissez ensemble une solution qui vous semble adaptée et mettez-la en pratique un certain temps, qui reste à définir, et au bout de ce délai, discutez de l'efficacité de votre trouvaille commune.

◆ *Un processus long*

La résolution des conflits demande du temps. Lancez-vous dans cette procédure seulement si vous pouvez la mener jusqu'au bout. J'ai appris beaucoup en mettant en place la négociation avec mes enfants, y compris le fait qu'ils n'ont quelquefois pas du tout envie de trouver de solutions.

Quand nous commençons à utiliser ce style de procédures, nos enfants nous voient arriver de loin. Nous sommes quelquefois trop systématiques et nos messages sont répétitifs, nous manquons de vocabulaire. C'était le cas d'une famille que je connaissais. Pleins d'enthousiasme pour les techniques de résolution des conflits fraîchement apprises, les parents répétaient quinze fois par jour à leurs enfants en conflit : « Essayons de trouver une solution pour que tout le monde soit content. » Leurs enfants ne les entendaient plus, ce discours avait perdu de sa saveur. Lorsque nous trouvons notre propre musique, nos enfants sont beaucoup plus réceptifs à nos propositions. Cela demande un peu d'entraînement.

◆ *Quand les enfants sont résistants aux propositions de négociations*

J'allège le processus en étant moins formelle. Je demande à mon enfant de parler de ses sentiments et je parle des miens. Je me donne des règles de base. Pas de jugements, ni d'évaluations, ni de commentaires négatifs, ni de moralisation, ni de culpabilisation…

Nous arrivons ainsi, quelquefois, à destination rapidement et spontanément.

Les actes répétitifs du quotidien

Vous vous reposez peut-être sur tout un vécu partagé avec votre bambin. Vous pouvez également reprendre les astuces qui leur sont destinées dans le paragraphe « vos règles » (p. 34).

Votre enfant appréciera tout autant le jeu du *timer*, le fait de faire avec vous, etc. Voici quelques suggestions pratiques complémentaires.

◆ *Les petits mots doux*

Ils sont à la fois préventifs et curatifs. Les actes répétitifs de la vie quotidienne sont nombreux, et un enfant a besoin de temps pour les intégrer. Un petit mot fixé à un endroit visible pourra l'y aider.

Voici deux exemples :

– « La cuvette des toilettes a besoin d'être nettoyée et la chasse d'être tirée. Bisous tendres de papa et maman. »
– « N'oublie pas de me rincer après t'être lavé les dents. Signé : un lavabo qui sera content de retrouver sa couleur d'origine. »

Vous allez trouver votre propre style. Notre règle de base est la même depuis le début de ce livre : ne pas blesser l'enfant. Pour savoir si c'est le cas ou non, il suffit de se mettre à sa place, d'éviter les jugements, l'ironie, la culpabilisation et les leçons de morale.

Avec mes enfants, j'utilise des *post-it*, qui sont très pratiques. Il en existe en forme de cœur ou de fleurs, qui réjouissent petits et grands qui se sentent déjà accueillis par le contenant avant d'en connaître la substance.

Les enfants qui ne savent pas lire peuvent quand même « accrocher » à cette technique. En constatant que quelqu'un a mis un mot sur la porte, ils vont vous l'apporter pour vous demander de le lire, et ils seront heureux que cette prose s'adresse à eux. N'en abusez pas tout de même, car si vous mettez des petits mots partout, sans arrêt, votre enfant risque de perdre son enthousiasme. Et cette astuce perdra de son efficacité.

Pendant que vous y êtes, faites-leur des petits mots d'amour, sans rien leur demander, juste pour leur dire que vous les aimez et que vous les appréciez.

◆ ***Faites des rappels aussi brefs que possible***

Toujours dans le registre des petits actes de vie quotidienne, vous pouvez rappeler très brièvement vos attentes à vos enfants.

Les enfants n'aiment pas être noyés par nos paroles et, pour eux, un « Cécile, ton pyjama » vaut mieux qu'un « Ce soir, on se met en pyjama, cela fait plusieurs soirs d'affilée que je suis obligée d'insister pour que tu le mettes, tu m'avais pourtant promis de le faire, etc. ».

Ces petits rappels n'ont rien à voir avec des demandes d'aide qui, elles, seront formulées tout à fait autrement. Ce ne sont pas non plus des ordres directifs, ils ne contiennent pas de verbe à l'impératif. Ce sont juste des tentatives pour ramener à la conscience de l'enfant, de la façon la plus simple possible, vos petites règles de vie familiale. La plupart des enfants que je connais y réagissent par un « Ah ! Oui ! Zut ! J'avais oublié ! » ou bien un « Je le mets dans 5 minutes ».

Être bref va vous éviter de tomber dans le piège de la culpabilisation et du jugement.

◆ ***Proposez des choix***

« Tu préfères manger tes haricots avant ou après ton dessert ? Veux-tu ranger l'outillage maintenant ou attendre que tes amis soient partis ? » Se voir proposer un choix, c'est vivre un sentiment de liberté, même si cette dernière s'exerce dans un champ très limité.

Quand nous proposons ce type d'alternatives, nous savons bien que l'objectif est que l'enfant se sente compris, mais sa liberté est volontairement restreinte. Alors, assumons-le et évitons de le coincer encore plus en lui présentant des choix du type : « Tu préfères ranger mon outillage ou ne plus pouvoir t'en servir du tout ? » Ce sont en fait des menaces déguisées.

◆ ***Résister à l'impulsion de donner des conseils***

Dans mon expérience, toutes les phrases qui commencent par : « Tu devrais... », « Il faut que tu... », « Pourquoi ne fais-tu pas plutôt comme moi... » entraînent une grande résistance chez les êtres humains de tout âge. De même, votre enfant a besoin de faire sa propre expérience et d'en tirer ses conclusions personnelles.

Les conseils alourdissent les difficultés des personnes qui les reçoivent. Ce n'est pas le cas des informations données à point nommé.

◆ ***Donnez-lui souvent des informations pratiques***

C'est aussi par là que passe la maîtrise de l'environnement. Essayer d'ailleurs de lui donner des éléments informatifs en dehors de la dimension « pose de limites ».

Faites des expériences: un reste de lait laissé deux ou trois jours en dehors du réfrigérateur va tourner et sera inutilisable. Il y a une date de péremption sur tous les produits. Chercher à savoir ce qui se périme le plus vite peut devenir un jeu.

Encouragez votre enfant à demander des renseignements précis à des spécialistes. Une visite chez le dentiste peut être l'occasion d'une formation au brossage des dents. Ce n'est là qu'un exemple, vous en trouverez d'autres. Les contacts avec des professionnels passionnés sont très motivants!

Formuler des demandes d'aide

La vie de famille nécessite un énorme travail. Toutes les minutes, un nouveau défi se présente accompagné de tâches aussi diverses que vider un lave-vaisselle, faire l'entretien d'une chambre d'enfant, préparer un repas, gérer les stocks alimentaires, penser aux besoins de chacun, accompagner les enfants dans leur travail scolaire, etc.

Même si ce travail n'est pas valorisé, je vous assure qu'il est précieux, considérable, et qu'il requiert des compétences de cadre supérieur ! Ce boulot est, par les temps qui courent, le contrat le plus long et le plus sûr : vous ne risquez pas de le perdre ! Vous travaillerez parfois 24 heures sur 24, alors ménagez-vous et sachez demander de l'aide.

Nous allons nous limiter aux demandes d'aide visant les personnes qui vivent sous le même toit.

Vous n'avez peut-être jamais rien demandé à personne ni à votre conjoint, ni à vos enfants. Alors, il est plus que largement temps que vous sortiez de ce schéma, et votre famille en sera très heureuse. N'oubliez pas un élément important : les enfants gagnent en estime d'eux-mêmes lorsqu'ils se sentent utiles dans leur famille. Ils font en effet partie d'un groupe qui travaille à un objectif commun. Si vous ne leur avez jamais rien demandé jusqu'à ce jour, sachez que changer de cap ne pose aucun problème. Rendez-vous au chapitre suivant : « Faites une réunion de travail ».

Deuxième cas de figure : vous demandez à chacun de participer, mais tout le monde se fait tirer l'oreille. Vous avez le sentiment d'être encore plus épuisé du fait de devoir lutter pour obtenir quelque chose. Il n'y a pas de recettes miracles, mais essayez quand même d'appliquer les quelques suggestions qui vont suivre.

Faites une réunion de travail

J'EN ANIME régulièrement chez nous ! Et cela fonctionne pour un temps, parfois assez long et très dépendant de l'âge des enfants.

Je fais passer le mot à chaque membre de la famille. En général, tout le monde se sent concerné. Si c'est la première fois : j'anime la réunion. J'annonce que j'ai un gros problème, je me sens épuisée par les tâches à accomplir et j'ai besoin d'aide. Ayant préparé une liste non exhaustive de toutes les tâches inhérentes à l'entretien de la maison, je la propose aux membres de ma famille, qui la complète si besoin est. Je propose que nous cherchions ensemble des solutions et, en général, parce que notre budget ne nous permet pas d'embaucher quelqu'un d'extérieur, nous tombons sur un nouveau partage des tâches.

Chaque membre de la famille choisit une ou plusieurs choses à faire selon ses compétences. Au bout de huit jours, nous nous retrouvons pour évaluer la nouvelle situation, et si chacun se sent à l'aise avec son nouveau travail, nous continuons, tout en restant à l'écoute des besoins et des difficultés de chacun.

Je prends des notes de ce qui se dit au cours de la réunion pour établir une sorte de contrat que je relis à la fin et qui peut-être corrigé selon les objections des parties en présence.

◆ *Le choix d'une tâche*

Au départ, je laisse vraiment chacun libre de choisir ce qu'il souhaite faire. Même si un tout-petit de 3 ans demande à débarrasser la table midi et soir, je lui propose de tenter l'expérience. J'ajuste la période d'essai. Et je pars sur une base de confiance et d'acceptation. Si mon enfant se trouve débordé, j'évite un « Mais je te l'avais bien dit ! » et me contente d'accueillir son sentiment de débordement, de voir avec lui ce qu'il pourrait faire qui soit en rapport avec les forces de son âge.

Je n'hésite pas à fractionner les tâches en petits bouts faisables par des bambins, ou bien je trouve des mini-tâches qui pourront leur donner le sentiment d'accomplissement que l'on éprouve lorsqu'on se sent utile à ses proches.

Je négocie le fait que les grands prennent une ou deux tâches supplémentaires : « Serais-tu d'accord pour choisir une autre tâche ? » C'est une formule que j'utilise très souvent, plutôt que : « À ton âge, tu devrais quand même en faire un peu plus pour nous aider, non ? » D'après mon expérience, la contrainte, si elle vient de l'extérieur, entraîne une très forte résistance. Je préfère très nettement obtenir une adhésion à ma proposition, et les résultats n'en seront que bien meilleurs à long terme. J'évite aussi de culpabiliser mes enfants, car la culpabilité est vraiment un poison tenace : elle va faire en sorte que les enfants se voient dans des rôles et m'en donne un également. Ils me verront alors comme une victime et se jugeront oppresseurs. Ou bien l'inverse, ils deviendront mes victimes, une fois qu'ils auront cédé au sentiment de culpabilité de ne pas aider leur mère épuisée.

Ce n'est pas ce genre de coopération que je souhaite dans ma famille. Je préfère me fier à la capacité d'aimer et d'aider spontanément qu'ont tous les êtres humains en eux. Et cela fonctionne très efficacement !

◆ *La notion de contrat*

Mine de rien, vous venez de concrétiser votre premier contrat familial. C'est une excellente base, c'est une forme un peu particulière de règlement intérieur, que vos enfants apprendront à connaître mieux en entrant au collège, et même à l'école primaire. Une des grandes différences, c'est que vous y avez écrit noir sur blanc vos obligations, ainsi que celles de votre conjoint, alors que je ne connais aucun établissement scolaire à ce jour qui fasse figurer les obligations des adultes formant la communauté éducative. Quel dommage que ces contrats, souvent nommés « contrat de vie », soient les seuls à présenter la particularité d'être hors la loi, puisque fonctionnant unilatéralement !

Quelques astuces pour demander de l'aide hors contrat

- Soyez clair. Formulez vos besoins sans les assaisonner à la sauce reproche. Un « J'ai besoin d'aide pour étendre le linge » sera efficace, s'il n'est pas accompagné de la liste de tout ce que vous avez fait toute seule dans la journée, sans aide, ou de celle de tout ce que votre enfant n'a pas fait cette semaine. Les reproches nous usent et tuent notre enthousiasme !
- La précision dans ce que vous formulez peut aider votre enfant à comprendre ce que vous attendez : « J'aimerais que tu ramasses le linge sale dans ta chambre et que tu le mettes à laver » vaut mieux que : « Range ta chambre ! »
- Mettez dans une boîte quelques morceaux de papier sur lesquels vous aurez écrit une chose à faire avant de les plier en quatre. Tirez tous une tâche et faites ce qui est écrit sans attendre.
- Travailler contre le temps : posez-vous des défis, 5 minutes de rangement en allant le plus vite possible, c'est beaucoup mieux que rien du tout, et ça peut-être très drôle.
- À un moment donné, prenez la décision de ranger trois objets chacun. Cela donnera un peu de respiration à un lieu de vie noyé dans le chaos.
- Proposez des mini-séances de formation à thème divers :
    - *La préparation des repas.*
    - *La mise en route des appareils ménagers.*

- *Le tri du linge.*
- *Établir une liste de courses.*
- *Épluchez les légumes...*

N'imposez rien. Votre enfant, autour de 2 ou 3 ans, adore participer aux tâches ménagères, profitez-en pour lui montrer quelques gestes techniques. Il va apprendre en tâtonnant et petit à petit. Ses erreurs ne sont pas des fautes, elles sont mêmes essentielles à son apprentissage. L'important, c'est d'aimer ce que l'on fait et de désirer en apprendre plus !

Je veux tout, tout, tout!

ET TOUT DE SUITE! C'est une caractéristique de l'enfant, il a une volonté puissante et il sait très bien ce qu'il veut et ce qu'il ne veut pas. Il est très sensible et sa qualité principale est de savoir immédiatement évacuer sa colère, sa rage, son indignation, son chagrin, en toutes situations.

Il ne se sent pas inhibé comme nous pouvons l'être et il est capable de piquer une crise salvatrice au beau milieu d'un supermarché bondé, vous laissant entre la gêne, l'agacement, la perplexité...

Il voudrait tout! Tout est si attirant! Et quelle tristesse de ne pas pouvoir tout faire, tout vivre, tout acheter! Votre enfant a tout à fait le droit de vouloir et vous avez aussi le droit de dire non à ses demandes.

Comment vous sentez-vous à l'idée de dire non? Qu'est-ce que le refus pour vous? Parvenez-vous à vous positionner clairement quand il s'agit de dire non à un autre adulte, par exemple ? Comment recevez-vous les refus ? Quels sentiments et émotions remontent en vous dans ces moments-là ?

Le problème avec le refus, c'est qu'il a très souvent été vécu, durant notre enfance, comme un rejet de notre personne entière, parce qu'il était très souvent accompagné de jugements, d'évaluations et de justifications culpabilisantes. Il générait beaucoup de colère, qui n'était pas acceptée par nos parents : il nous fallait simplement nous taire et ne manifester aucune émotion face aux refus réitérés des adultes. D'autant qu'en tant qu'enfants, nous n'avions pas ce droit. Aussi fallait-il le plus souvent être d'accord pour correspondre à ce que nos parents attendaient de nous. Alors, comment refuser à nos petits sans trop d'états d'âme ?

◆ *On peut éviter l'abus de non*

On peut assez souvent, selon les situations, remplacer un non par une information :

– Pouvons-nous aller à la piscine ?

– Nous sommes invités chez les Tartempions, ce soir.

Ou bien :

– Je peux aller jouer chez mes copains ?

– Dès que tu auras déjeuné.

Ou encore :

– Je peux dormir chez Julien ?

– Laisse-moi y réfléchir.

◆ *Et ne pas hésiter à les formuler quand cela est jugé nécessaire*
Faire son deuil, c'est une expérience pour l'enfant, qui se vit. Cela ne s'apprend pas. Il sait depuis très longtemps ce que sont les frustrations. Il va vous arriver de dire non et de ne pas changer d'avis, parce que vous ne pouvez ou ne voulez pas répondre favorablement au désir de votre enfant. Votre pire ennemi, dans cette démarche de refus, c'est vous-même. Vous n'avez pas à culpabiliser, les refus font partie de la vie. Si vous savez vous positionner, votre enfant saura s'affirmer, c'est un gros avantage !

Accueillir les émotions

Quand on formule un non, on doit s'attendre, en tant que parents, à accueillir des émotions difficiles. Notre non génère une souffrance qui peut être déchargée par le biais du chagrin ou de la colère. Il nous suffit de rester proches de notre enfant et de l'écouter. Cela n'a l'air de rien, mais c'est parfois excessivement pénible, en particulier si notre enfant est très en colère contre nous. Selon son âge, il va tenter de nous agresser physiquement : une de mes amies tend ses mains à plat à ses enfants, qui tapent simplement dessus pour se décharger ainsi de leur agressivité, sans la blesser. Si cette idée vous heurte, vous pouvez empêcher votre enfant de vous faire mal sans être violent, en le contenant ou bien en lui permettant de gesticuler et crier tout son saoul dans une chambre sur un matelas au sol. Ce qui est important, c'est que vous restiez avec lui, lorsqu'il est bouleversé.

Si vous gardez présent à l'esprit que votre enfant fait un travail de guérison de sa souffrance, il vous sera plus facile de rester à son écoute.

Les crises de rage au supermarché

Voilà une situation courante : votre enfant voudrait acquérir un jouet, par exemple, et vous ne souhaitez pas l'acheter.

Première possibilité : vous l'autorisez à jouer avec l'objet jusqu'à ce que vous soyez aux caisses. À ce moment-là, il devra le ramener dans le rayon correspondant. C'est une astuce qui donne beaucoup de liberté à l'enfant, il peut manipuler l'objet pendant la durée des courses, il en sera ravi – mais pas toujours.

Seconde possibilité : il s'accroche à son désir désespérément, jusqu'à la crise de rage. Si vous êtes une habituée de la gestion des émotions, vous savez que ce genre de crises ne dure qu'une quinzaine de minutes. Il sera plus confortable d'accompagner votre enfant hors des regards interrogateurs des clients, qui se demandent pourquoi vous n'intervenez pas, pour que cessent ces hurlements.
Si vous ignorez ce qu'est une crise de rage, vous risquez fort d'être effrayé par la conduite de votre bambin. Dans ce cas, les regards insistant

des autres adultes seront autant de jugements négatifs et vous aurez tendance à faire ce que vous n'auriez peut-être jamais fait. Vous allez peut-être brutaliser votre enfant sous la pression des regards extérieurs.
Ou bien, dans le but d'éviter la crise, vous allez peut-être revenir sur votre refus ou, autrement dit, céder pour ne pas faire face. Vous êtes peut-être fatigué et n'avez nulle envie de vous retrouver avec un enfant hors de lui-même.

À l'impossible nul n'est tenu ! Sachez que les crises de rage sont monnaie courante chez les enfants d'âges préscolaires. Si elles vous font peur ou vous épuisent, vous n'êtes pas tenu de les écouter jusqu'au bout. Exprimez votre fatigue à votre bambin. Vous pouvez très bien dire : « Tu as le droit de te mettre en colère, mais je ne pourrai pas t'écouter jusqu'au bout, ce soir, car je me sens épuisé. » Veillez à ce que votre enfant puisse gesticuler sans se blesser. Si la crise survient chez vous, vous mettrez des coussins sous sa tête ou ses pieds, par exemple.

◆ *Le caprice : un tremplin émotionnel*

Le fait de céder alors que vous pensiez « non » de toutes vos forces ne fera que repousser le moment de la crise, qui surviendra quand même, peut-être plus violemment, à un autre moment.

Il arrive que les désirs des enfants ne soient que des tremplins vers des décharges émotionnelles salvatrices. Vous vous en rendrez compte lorsqu'il vous sera impossible de satisfaire votre bambin, qui passera d'un désir à un autre. Vous aurez alors le sentiment qu'il vous fait perdre la tête. À ce moment-là, un simple « non » va déclencher la colère de votre enfant. Vous lui donnez en fait la possibilité d'évacuer son stress à son rythme profond et rapide comme tout travail émotionnel.

◆ *La justification : attention, piège !*

Avec la justification du non, nous pouvons voir remonter à la surface tout un cortège de jugements, de culpabilisations, de manipulations et de mensonges.

Si vous dites non et que vous sentez ces pièges prêts à surgir, contentez-vous de ne pas justifier votre refus.

Un non ouvert à la négociation supportera d'être accompagné d'une justification authentique. Dans ce cas, je donne les véritables raisons que j'ai de dire non, et mon enfant est libre de proposer une autre solution.

Lors de mes groupes, il m'est arrivé de rencontrer une mère dont la fille souhaitait recevoir à Noël une maison de poupée ayant un prix vraiment trop élevé pour le budget familial. Elle culpabilisait beaucoup de ne pas pouvoir offrir ce cadeau à son enfant ; elle se demandait très sérieusement si elle ne devait pas s'endetter pour lui faire plaisir. Nous avons très longuement parlé de ce sujet, et elle a finalement annoncé à sa fille que le budget familial ne lui permettait pas d'obtenir ce cadeau. Elle a évalué une somme d'argent qu'elle était prête à dépenser pour elle. L'enfant a immédiatement proposé une collecte familiale qu'elle a elle-même organisée. Sa mère décrit à quel point elle a senti sa fille fière d'elle-même ! Ce sentiment, celle-ci ne l'aurait pas vécu si sa mère avait tout simplement emprunté l'argent et acheté la maison comme elle s'apprêtait à le faire, poussée par un pur sentiment de culpabilité !

Quand vous dites non, vous permettez à votre enfant de chercher d'autres solutions pour arriver à l'objectif qu'il s'est fixé.

◆ *Les non qui ne sont pas ouverts à la négociation*

Ils sont rares, mais ils existent. Évidemment, ils dépendent de votre seuil de tolérance, de vos règles, de vos valeurs, des lois sociales. Il y a des décisions qui ne se discutent pas. Même si vous posez un non ferme et définitif, les sentiments accompagnant la frustration seront toujours là et vous pourrez les écouter avec attention. Quand je dis non, ce n'est pas pour blesser mon enfant et je suis toujours contente d'avoir la possibilité d'écouter ce qu'il ressent.

Quelquefois, c'est la société par le biais de ces lois qui dit non : c'est intéressant de faire référence à l'écrit dans ce cas. Les règlements intérieurs de lieux collectifs que nous fréquentons ensemble sont une première approche des lois sociales, ce qui est plus facile à consulter et à discuter en famille que le code civil !

Annoncez simplement que ce refus ne se discute pas, vous éviterez à votre enfant de s'épuiser dans un argumentaire inutile.

◆ ***Et si vous utilisiez l'humour comme passerelle de compréhension ?***

À une demande de votre enfant, vous pourriez répondre : « Ce serait génial, si on pouvait acheter tout le magasin, hein ? Moi, j'achèterai d'abord tous les vêtements à ma taille, tous les paquets de gâteaux que j'aime tant, et toi ? » C'est une possibilité, une petite astuce pour les jours de fatigue où vous vous sentez incapable d'écouter une crise de rage.

◆ ***Faites des listes de désirs***

Ayez sur vous un petit cahier où écrire vos désirs et ceux de votre enfant. C'est une façon de prendre en compte ces demandes :

– *Papa, je voudrais une voiture radio commandée.*
– *Je le note tout de suite, son prix, sa marque et la date du jour d'aujourd'hui.*

Faites cette même démarche pour vous, si l'occasion se présente :

– *Moi, j'aimerais bien un appareil photo numérique. Je le note sur ma liste, avec son prix et sa marque.*

Ce travail a plusieurs objectifs, il s'agit d'abord de reconnaître les désirs. Tous les êtres humains, je crois, ont besoin que leurs désirs soient reconnus. Mais c'est autre chose que de les satisfaire ! Votre enfant va observer votre façon de gérer vos désirs. Les satisfaites-vous immédiatement ? Prenez-vous un temps de réflexion ? De plus, si vous conservez vos listes, vous vous rendrez compte et vos enfants aussi que les désirs ont quelquefois une durée de vie plus ou moins brève.

Les désirs de longue durée peuvent donner lieu à l'élaboration d'un projet, qui permettra à l'enfant d'atteindre son but.

De plus, ce petit cahier pourra servir lorsque vous chercherez une idée de cadeau à faire à votre enfant, mais aussi quand vos enfants auront envie de vous offrir quelque chose. Tout comme vous, les enfants aiment donner, faire des surprises. Donnez-leur-en souvent l'occasion !

Vous êtes créatif, alors mariez toutes ces astuces entre elles

Faites des mélanges, des expériences, vous allez trouver ce qui fonctionne le mieux pour vous et pour votre enfant selon les périodes. Vous allez apprendre à le connaître en profondeur, à le comprendre. Et avec les informations que vous allez lui donner, il saura lui aussi vous comprendre et répondre à certains de vos besoins. Il décidera de coopérer parce que vous en avez vraiment besoin, non pas pour vous faire plaisir et obtenir une « carotte ». Il fera les choses parce qu'il se sent un être humain, dont la dignité a été respectée.

Vous êtes dans une impasse

CELA VA VOUS ARRIVER, vous aurez le sentiment de vivre une situation complètement bloquée. Votre enfant ne veut pas accomplir ce que vous lui demandez respectueusement. Il est résistant à toutes les suggestions que vous venez de lire, il est dans le refus, le rejet, la colère. Il arrive même qu'il ait simplement envie de s'isoler, de vous fuir…

Claire, mets la table, s'il te plaît !

Non, non, et non!
Claire refuse tout net de faire son boulot… Elle n'est pas absorbée dans un jeu qui lui prendrait toute son attention (ce que je respecte en général), elle n'est pas malade ni couchée, elle est plutôt pleine d'énergie comme à l'accoutumée, et elle refuse de mettre son enthousiasme au service de notre « communauté ». Alors, que faire?

Mes réflexions :
Oui, que faire ? La mettre moi-même, parce que je n'ai pas dormi trois nuits durant, que je suis fatiguée, que je n'ai pas envie de discuter ! Pousser des hurlements de bête sauvage ou blessée, au choix – j'en serais capable à ce moment-là en tout cas ! Demander à Coline, sa sœur de la mettre à sa place – c'est la pire des alternatives, pour moi !

Je choisis de l'accompagner.
Ou plutôt de le faire avec elle, en m'arrangeant pour qu'elle fasse son boulot. Mais d'abord, il faut l'attraper et là, j'ai du mal. Elle court bien vite, mais je finirai par lui saisir un bras. Ouf ! Ensuite, je la tire gentiment vers le placard à vaisselle, je tiens ses petites mains où je dépose les assiettes. C'est bien moi qui en supporte le poids, mes mains sont posées sur les siennes, sous les assiettes, je suis derrière elle et je soutiens aussi les assiettes.

Elle rit beaucoup…
tout au long de cette mise de table peu classique. Je suppose que certaines tensions se relâchent et tant mieux ! En tout cas, nous partageons un bon moment. Et le soir, devinez quoi ? Inutile de lui rappeler quoique ce soit, je l'entends dire : « Attends, moi, j'ai la table à mettre. »

Pas de doutes, les alternatives à la violence, la punition, les récompenses, c'est vraiment très concret.

Proposez un jeu de chahut

Accompagnez fermement votre enfant dans une chambre et lancez-vous dans une bonne bataille de polochons, avec des petits coussins qui ne feront pas mal, même si votre enfant se défoule très fort sur vous. Laissez-lui l'avantage. Faites beaucoup de théâtre, feignez « grossièrement » la douleur. Il passera peu à peu de la colère au rire et ses tensions se relâcheront peu à peu dans le jeu. Les enfants aiment jouer de cette façon avec les adultes qui les entourent. Utilisez cette méthode comme un excellent moyen de donner de l'attention.

La plupart des parents que j'ai rencontrés n'aiment pas beaucoup chahuter, en particulier, s'il faut laisser l'avantage à leur enfant. Utilisez un minuteur. Je tiens un maximum de 15 minutes dans mes meilleurs jours. Mais les bénéfices de cette forme de jeu sont énormes tant sur la relation que sur l'estime que l'enfant a de lui-même.

◆ *Ne les chatouillez pas*

Nous aimons voir rire nos petits, alors quelquefois, nous les chatouillons à l'excès. Peut-être avons-nous été chatouillés lorsque nous étions enfants et que nous reproduisons cette manière d'entrer en contact. Or, les chatouilles sont très effrayantes pour les enfants : ils peuvent avoir le sentiment de s'étouffer et de mourir. Personne n'aime subir des chatouilles sans avoir le contrôle de la situation. Il est possible que votre petit aime cela, mais il appréciera que vous sachiez arrêter immédiatement, après qu'il vous l'a demandé. Si votre enfant est chatouillé trop intensément, il ne pourra pas dire stop. Cela générera chez lui un sentiment d'impuissance et de manque de confiance dans le contact et la proximité des autres, en général.

Si votre enfant a d'autres occasions de jouer avec vous en étant proche physiquement et que vous lui laissez le choix, il se peut qu'il abandonne les chatouilles.

Faites un échange de rôles spontané

Quoique votre enfant soit en train de faire, adoptez la même attitude que lui et proposez-lui de jouer le rôle du parent. La difficulté est de ne pas tomber dans la moquerie et l'ironie. Vous passeriez alors à côté de l'objectif du jeu, à savoir mieux se connaître l'un et l'autre en jouant, voir la situation avec un autre point de vue et éclater de rire pour, enfin, sortir de l'impasse.

Donnez-lui de l'attention concentrée

Votre enfant est peut-être en manque d'attention de votre part. Vous trouverez de multiples moyens de répondre à ce besoin. Faites-lui un massage, jouez avec lui à un jeu qu'il aime, faites des câlins, demandez-lui ce qu'il aimerait partager avec vous, et faites-le pendant un temps limité. Quand vous donnerez de l'attention à votre enfant, ne soyez pas étonné que les émotions surgissent en grande

…ité, c'est peut-être de cela dont votre petit a plus besoin.

Organisez une sortie « défoulement »

Sauter dans les flaques, la neige, ou courir ensemble, cela peut-être un moyen de rendre l'atmosphère plus agréable et joyeuse. Les sorties ont très souvent un effet bénéfique sur l'humeur des enfants.

Et s'il dessinait ce qu'il ressent ?

Ayez toujours du papier, des crayons, de la pâte à modeler, afin de lui permettre de dessiner ou modeler ce qu'il ressent. Il pourra aussi l'écrire lui-même quand il en sera capable, sinon vous pourrez être son secrétaire silencieux.

Mettez de la musique et dansez tous ensemble

J'ai constaté que certains airs de musique ont le pouvoir de changer mon humeur. Je me sens alors subitement en pleine forme, dynamique et joyeuse, à leur écoute. Ou, au contraire, très nostalgique et triste. J'ai fait une réserve de musiques entraînantes que mes enfants et moi aimons. Ce n'est pas très facile de passer de la grogne à la danse, mais ce n'est pas impossible, en tout cas, cela mérite d'être essayé. Comme toutes les solutions qui ont un effet positif sur votre famille.

Vous vous sentez devenir dangereux pour vos enfants

LES ENFANTS sont opprimés depuis des siècles et, malgré les réelles prises de conscience et l'amélioration que nous pouvons constater dans leur éducation, de génération en génération, les souffrances que nous avons traversées durant l'enfance sont toujours en nous, prêtes à se déverser sur nos propres descendants. Le fait que nos besoins vitaux aient été niés en bloc a des conséquences invalidantes sur notre fonction de parents. Nous sommes parfois encore en train d'essayer de chercher à les combler, alors que nous avons des familles en charge qui ont besoin de nous, de notre contact aimant et de notre soutien.

Nous luttons souvent contre nous-mêmes pour ne pas faire de mal à nos enfants. Nous sommes engagés sur une voie complexe. Nous allons leur donner consciemment et volontairement ce que nous n'avons pas reçu.

Ce qui peut aider

Votre colère peut surgir au moment où vous vous y attendez le moins. Vous allez au fil du temps apprendre à repérer ces moments. Vous êtes parent et la tâche à laquelle vous vous attelez chaque jour est immense, et vous avez en regard bien peu de soutien pour l'accomplir.

Vous allez bien souvent vous retrouver très fatigué, sans possibilité d'être relayé. Ce sont dans les moments de fatigue que les vieilles solutions sont adoptées sans réflexion aucune. Elles sont comme des enregistrements qui se rejouent et contre lesquels vous aurez l'impression d'être impuissant. Bien des adultes avec lesquels je travaille décrivent leur stupeur, lorsqu'ils s'entendent et se voient être violents avec leurs enfants, sans pour autant savoir mettre un terme à la situation.

Soyez attentif aux mécanismes déclencheurs de votre colère

Qu'est-ce qui vous pousse à bout ? Le fait que votre enfant ne mange pas ? qu'il soit maladroit ? qu'il gémisse sans vraiment parvenir à pleurer ? qu'il se dispute avec ses frères et sœurs ? Les réponses à ses questions vous permettront d'établir une stratégie.

◆ ***Quelques suggestions***

- Quand vous sentez la colère monter, prévenez votre enfant : « J'ai l'impression que je vais sortir de mes gonds, je préfère m'isoler. »
- Hors contexte, expliquez-lui ce qui se passe. Vos parents n'ont pas toléré que vous ne mangiez pas

et, lorsque vous vivez cette même situation avec lui, cela réveille des souffrances. Vous travaillerez à cette question à votre rythme. En attendant, vous prenez des mesures pour le protéger.

- Isolez-vous pour tenter d'évacuer cette colère en tapant sur un oreiller très fort, en criant dans un oreiller: « Ça suffit! », « Stop! », « J'en ai marre! » Si crier dans un coussin amortit les sons, prévenez quand même votre enfant de ce que vous allez faire.
- Sortez, allez courir, dépensez-vous, si vous le pouvez.
- Quand vous sentez les vieux monstres remonter à la surface, faites-vous immédiatement relayer. Cela n'est pas toujours possible, mais vous pouvez faire appel à des structures collectives pour une heure ou deux.
- Appelez un parent complice et parlez de votre colère, faites des échanges d'écoute et de soutien.
- Prenez du temps pour penser à votre enfance dans le détail. Vous établirez des liens entre ce que vous vivez aujourd'hui, votre enfant et ce que vous avez vécu.
- Recherchez une manière de travailler sur vous-même qui vous convienne. Avec une thérapie, il vous sera de plus en plus facile d'être conscient, aimant et compréhensif, et pas seulement avec vos enfants.
- Rejoignez ou créez un groupe de soutien de parents.

Enfants tyrans ou adultes indignés ?

UNE DES CONSÉQUENCES de notre éducation est d'être indignés à chaque fois que notre enfant réclame quoi que ce soit que nous n'avons pas pu obtenir de nos propres parents. Cela nous met en colère. Et c'est avec cette colère, ces sentiments d'envahissement que nous vivons chaque jour.

Quand nous commençons à tenter d'accompagner nos enfants avec respect, notre entourage peut réagir très fortement. Certains adultes peuvent ressentir une profonde indignation, lorsqu'ils nous regardent négocier avec nos enfants, les écouter hurler ou faire d'autres « fantaisies » du genre. Nous, qui avons l'impression de faire pour le mieux et d'y parvenir avec peine, nous nous sentons jugés et critiqués par notre entourage. Il est alors plus facile d'y faire face lorsque l'on se dit que tous ces adultes ont été des enfants opprimés. Il est très douloureux pour eux de voir ces petits êtres humains traités avec respect. Leur manière à eux de manifester leur souffrance, c'est de critiquer vos pratiques éducatives.

Nombreux sont les parents qui se demandent comment faire face aux « attaques » extérieures, comment convaincre également, quand nos enfants se montrent bien plus difficiles à gérer que ceux qui sont opprimés.

Faire face aux critiques

C'EST UN TRAVAIL PASSIONNANT que de faire face aux critiques. Si nous savons écouter les sentiments des personnes qui s'adressent à nous dans ces termes, nous allons découvrir un autre monde que le nôtre, partager nos façons d'être différentes. Et en même temps, nous ne sommes pas obligés de mettre en place cette écoute. Nous pouvons juste affirmer que nous avons choisi des directions, que notre interlocuteur en a choisies d'autres, le monde est fait de personnes uniques qui font des choix très variés. Dans ce cas, je ne justifie jamais, sinon j'entre dans une conversation polémique, où chacun va essayer de tirer la couverture vers lui.

Le secret finalement, c'est de garder présente à l'esprit l'idée que personne ne me veut de mal. Les gens autour de moi peuvent manifester de l'inquiétude, mais aussi exprimer un mal être lorsqu'ils « critiquent » mes façons de faire avec ma famille.

◆ *Les convaincre*

Voilà une autre question : devenir conscient de l'oppression des enfants, ce n'est pas un chemin aisé, et chacun va le parcourir à sa manière. Je ne sais pas si nous arriverons un jour à voir clairement tout ce qui est écrasant pour les petits humains et que nous pratiquons tous les jours. De plus, ce n'est pas parce que nous avons pris conscience de la violence éducative que les autres parents autour de nous vont être réceptifs à notre discours.

Je trouve que nous sommes très efficaces lorsque nous sommes simplement nous-mêmes et que nous n'essayons pas de faire changer les autres autour de nous. Nous pouvons affirmer nos choix, sans établir de comparaisons ou diminuer ceux des autres familles, proposer des lectures, des partages, et surtout, soutenir l'idée que le fait d'être parent est une rude tâche.

Se forger une autre vision du monde

Lorsque nous sortons du système bien/mal, bonnes actions/mauvaises actions, et que nous comprenons que les « dysfonctionnements » de l'être humain ne sont plus que des expressions de sa souffrance présente ou passée, nous pouvons avoir une autre vision du monde et la transmettre à nos enfants.

Il n'y a plus de méchants, juste des individus en souffrance. La punition devient aberrante, « un coup de poing sur une blessure » disait Bernard Lempert ! [4]

Nous avons tout à découvrir pour ce qui est de la protection des victimes et du soutien des oppresseurs. Par quel moyen ? Comment guérir les victimes de la violence éducative qui font parfois tant de dégâts autour d'elles ? La question restera en

4. Psychothérapeute et auteur de nombreux ouvrages sur la violence à l'école et dans la famille.

suspens, mais j'espère que nos enfants trouveront les réponses, parce que nous aurons cherché pour eux des solutions en dehors de nos détresses passées. Cette vision du monde est très optimiste car si la violence se transmet au travers des générations, l'amour aussi. Notre manière de faire avec nos enfants va affecter toutes les générations qui vont venir, c'est une pensée qui peut être motivante et encourageante !

Ce petit catalogue a été écrit pour que vous puissiez survivre en compagnie de vos enfants, le but étant de les accompagner en veillant à vos propres ressources, pas de diriger leur vie.

Ces petites astuces sont là simplement parce que nous nous sentons démunis en tant que parents ayant subi de la violence de la part de nos propres parents. Nous ne savons tout simplement pas faire autrement que ce que nous connaissons bien : empêcher les actions de se produire en faisant peur à nos enfants, en les frappant ou en les sanctionnant, en les manipulant à l'aide de punitions et de récompenses, en leur faisant des reproches, en élaborant un terrible chantage. J'espère que ces quelques suggestions vous aideront.

Les enjeux sont énormes, toutes les oppressions (le racisme, le sexisme, l'âgisme, le classisme, etc.) ont leurs racines dans celles que nous avons vécues en tant qu'enfant. C'est parce que nous avons été considérés comme incapables, inférieurs, que nous n'avons pas été respectés, que, une fois adultes, nous sommes prêts à opprimer ceux qui nous entourent, parce que leur sexe, leur classe sociale, leur âge, leur religion, leur couleur de peau sont différents des nôtres. Un être humain en bas âge est tout prêt à réagir à l'injustice, s'il n'a pas été écrasé par son entourage. Les enfants s'attendent à vivre des vies passionnantes avec des adultes émotionnellement présents et vivants. Le monde que nous leur offrons est quelquefois bien terne. Nos enfants ne l'acceptent pas, ils sont exigeants et nous poussent à recouvrer notre joie, notre énergie. Ils sont persévérants et, si vous êtes à l'écoute, si vous les suivez de temps à autre dans leur jeu, ils vous montreront à quel point le fait de prendre du plaisir à vivre est essentiel.

Abandonner le mythe de l'obéissance

VOUS SEREZ QUELQUEFOIS dérouté et confus en rencontrant sur votre route des petites personnes obéissantes et « bien élevées », des enfants si « sages » qui correspondent aux désirs de leurs parents et à votre propre idéal. Vous serez alors envahi par le doute en apprenant que ses enfants sont punis, voire battus. Ils sont probablement culpabilisés et se trouvent sur des rails. Ils sont soumis aux adultes et à l'autorité, parfois d'une manière définitive. Ou, peut-être, seront-ils des rebelles en colère toute leur vie. Ce que je vais vous dire va peut-être vous surprendre, mais il est fort possible qu'un enfant réagisse vite à un coup ou à une punition et qu'il fasse ce que l'on attend de lui uniquement par peur. Cela a des apparences d'efficacité.

Je me rappelle avoir entendu Jacqueline Cornet dire que n'importe qui peut donner une fessée, c'est le degré zéro de la compétence. Je crois malheureusement que la plupart du temps ces fessées sont données sous le coup de la colère et ont une forme d'efficacité immédiate. Il est dans notre culture et depuis fort longtemps l'enfant obéissant, celui qui s'exécute sous la menace de ses parents. Dans les années cinquante, 300 000 martinets (un nom bien léger pour qualifier le fouet destiné aux enfants) par an étaient encore fabriqués.[5] Aujourd'hui, si le martinet est devenu désuet, nous attendons toujours des réponses immédiates, et nous avons parfois bien du mal à nous défaire de cette exigence.

Notre enfant n'est pas une marionnette faite pour répondre présent aux personnes qu'il aime le plus au monde, en lesquelles il a le plus confiance : ses parents. C'est une personne sensible qui vit comme nous des deuils, des déceptions, qui a des désirs, des besoins et qui, caractéristique de ses premières années, s'attend au meilleur dans la vie. Notre enfant va toute son existence apprendre à vivre dans le monde des humains. Si nous le respectons, il n'obéira pas aveuglément à des ordres, mais sera capable de comprendre les personnes et de choisir de faire ou non ce qu'on lui demande. Notre rôle de parents est bien heureusement devenu complexe. Il nous faut réfléchir à une autre manière de communiquer avec nos enfants, nous former, prendre des informations et des encouragements au sein de groupes, de travailler sur nous. C'est le projet d'une vie, mais il en vaut la peine. Il y a un monde meilleur au bout de cette route !

---

5. *Quand et comment punir les enfants ?*; collectif, Paris, Éditions ESF, 1989.

Bibliographie

Quelques titres pour comprendre les effets nocifs de la violence éducative :

DIDIERJEAN-JOUVEAU Claude-Suzanne, *Pour une parentalité sans violence*, Genève, Éd. Jouvence, 2002.

MAUREL Olivier, *La fessée en 100 questions-réponses*, Sète, La plage, 2004.

MILLER Alice, *La connaissance interdite*, Paris, Aubier, 1993.

MILLER Alice, *C'est pour ton bien*, Paris, Aubier, 1998.

MILLER Alice, *Libre de savoir*, Paris, Flammarion, 2001.

Des aides supplémentaires pour faire autrement :

DUMONTEIL-KREMER Catherine, *Élever son enfant... autrement*, Sète, La Plage, 2003.

FABER Adele & MAZLISH Elaine, *Jalousies et rivalités entre frères et sœurs*, Paris, Stock, 1989.

FAURE Jean-Philippe & GIRARDET Céline, *L'empathie ou le pouvoir de l'accueil*, Genève, Éd. Jouvence, 2003.

GORDON Thomas, *Parents efficaces*, Paris, Éd. Marabout, 1996.

ROSENBERG Marshall B., *Les mots sont des fenêtres (ou des murs)*, Genève, Éd. Jouvence, 1999.

SOLTER Aletha, *Pleurs et colères des enfants et des bébés*, Genève, Éd. Jouvence, 1999.

Sites internet et liste de discussion

http://www.webzinemaker.net/maisonenfant/
http://fr.groups.yahoo.com/group/Parents_conscients/
http://www.alice-miller.com/index.htm
http://www.regardconscient.net/

L'auteur anime des stages de parentage actif pour soutenir les parents dans leur démarche non-violente

E-mail : catherinedumonteilkremer@yahoo.fr
Tél. : 04 92 56 14 01

Achevé d'imprimer sur rotative par l'Imprimerie Darantiere à Dijon-Quetigny en décembre 2008 - Dépôt légal : juin 2004 - N° d'impression : 28-1777

Imprimé en France

Dans le cadre de sa politique de développement durable, l'imprimerie Darantiere a été référencée IMPRIM'VERT® par son organisme consulaire de tutelle. Cette marque garantit que l'imprimeur respecte un cycle complet de récupération et de traçabilité de l'ensemble de ses déchets.